CUBE KID

JOURNAL D'UN ~~NOOB~~ GUERRIER ULTIME

Titre original : Wimpy Villager

www.404-editions.fr

404 éditions
un département d'Édi8,
12, avenue d'Italie, 75013 Paris.

Maquette : Axel Mahé
Relecture et corrections : Frédéric Lorreyte
Loi n° 49-956 du 16 juillet 1949 sur les publications destinées à la jeunesse, modifiée par la loi n° 2011-525 du 17 mai 2011.

ISBN : 979-1-0324-0125-5
Dépôt légal : août 2017
Imprimé en Espagne

Pour Lola Salines, l'éditrice de cette série de livres, qui a eu envie d'aller danser au Bataclan, un vendredi 13 novembre.
Merci d'avoir cru en moi.

Cube Kid

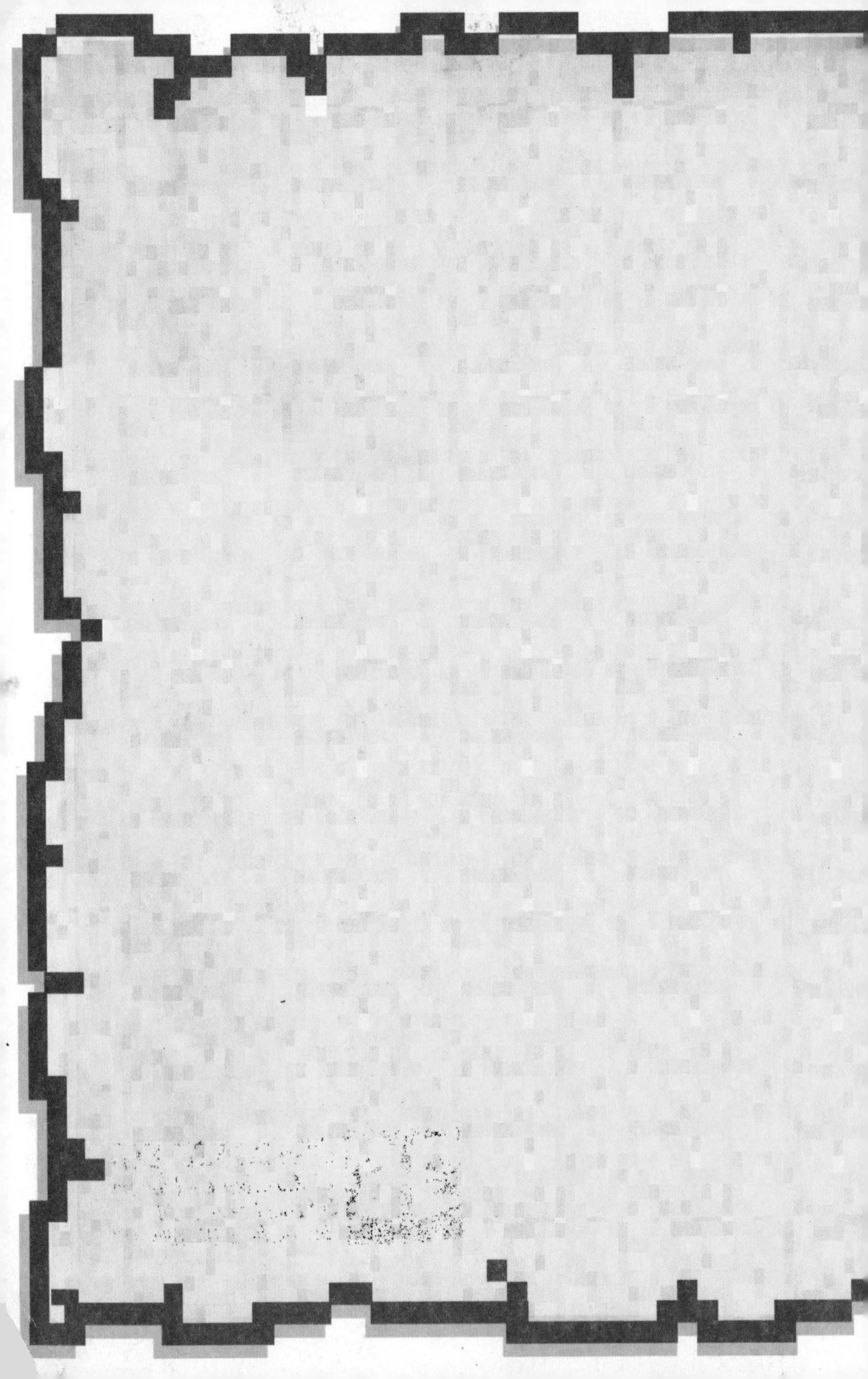

CUBE KID

JOURNAL D'UN NOOB

GUERRIER ULTIME

Traduit de l'anglais par Agathe Franck

Illustrations de Saboten

VENDREDI
MÀJ III - APRÈS-MIDI

Je me tenais **à côté d'Alizée** dans la petite pièce de quartz. Une lanterne aquatique éclairait la pièce d'une **pâle lueur bleutée**. On voyait un **mystérieux** objet contre l'une des parois. Il faisait **trois mètres de haut, trois mètres de long**, et était plat comme une banderole. Mais il ressemblait à la surface calme d'un point d'eau plutôt qu'à un morceau de coton.

Alizée a tendu les doigts de sa main droite et **a frôlé son reflet**. Elle a baissé sa main, et on a continué à s'observer quelques instants. **En silence**. Avec **admiration**. C'était la première fois qu'on se voyait comme ça.

Et en plus on avait de sacrées tenues.

Mes vêtements étaient cousus de **soie d'araignée**. Le patron du Château Fashion, **Flaco**, avait passé des jours et des jours à travailler avec les humains pour me fabriquer **une copie conforme de vêtement terrien**. Ensuite, pour qu'on ait l'air **encore plus cool**, il avait transformé nos capes pour qu'elles **tombent sur nos épaules**.

Des modèles. Des symboles d'espoir.
Les grandes stars de Bourg-Village.
C'est ce qu'on est devenus.

Certains diront que **c'est mignon** : une relation **romantique** naissant entre deux jeunes héros se battant contre les monstres et l'adversité. Je leur dirais que c'est **un peu exagéré**. Même si nous sommes **très proches** avec Alizée, on a pas eu beaucoup de temps pour penser à autre chose qu'au combat ou à préparer le prochain. Je pense que le maire veut changer tout ça. Il veut que les gens aient **quelque chose en quoi croire**. C'est certainement pour cette raison qu'il nous a discrètement fait sortir du bal.

Quand on y reviendra, il nous a dit qu'on devrait sourire, se tenir la main et les lever ensemble devant la foule.

— Tu as l'air si différente, j'ai dit.

— C'est possible, a répondu Alizée **d'un air absent**. J'aurais bien aimé danser un peu plus longtemps.

— Moi aussi.

J'ai ajusté le col de ma chemise. On a entendu un « **clic** ». La porte venait de s'ouvrir. Dans le reflet, on a pu voir le maire s'approcher de nous. Il nous observait, surtout **nos habits**, et j'ai pu voir un léger sourire apparaître sous sa moustache.

— Je m'excuse de vous avoir brusqués. Je voulais m'assurer que vous étiez **au top** pour la cérémonie.

— C'est rien, a dit Alizée tout en fixant **son reflet**.

Le maire s'est glissé entre nous et a fait glisser ses doigts noueux le long du cadre en fer.

— Alors ? **Vous l'aimez** ?

Alizée a hoché la tête.

— C'est… **incroyable**. Mais qu'est-ce que c'est ?

— C'est ce qu'on appelle **un miroir**. Celui-ci a au moins un millier d'années. Il a été crafté au début de la **Seconde Grande Guerre**. Si j'ai bien compris, il vient d'un temple ancien appelé **le Tabernacle de la Crique du Malheur**. Il est situé près de l'océan, derrière une immense chaîne de montagnes au nord-ouest, très, très loin d'ici.

— Cela doit être **impossible à fabriquer nous-mêmes**, j'ai dit. Comment est-ce qu'il s'est retrouvé entre nos mains ?

— Nos archives disent qu'un marchand le possédant est passé par ici. C'était courant, à l'époque. Quand les gens pouvaient encore aller et venir **sans se soucier du danger**. Je n'étais alors qu'un gamin, des voyageurs et des vagabonds visitaient constamment notre village. J'ai l'impression que c'était hier...

J'ai hoché la tête. Je me souvenais vaguement avoir entendu quelque chose comme ça à l'école. Ce n'est que très récemment que notre village a appris le retour de **Celui Sans Yeux**, mais les érudits pensent que cela fait un moment qu'il retrouve ses forces et forme son armée. Avant ça, **les attaques de monstres** étaient loin d'être courantes. On pouvait parcourir **l'Overworld** des semaines et des semaines avant d'en rencontrer un seul. Alors que maintenant...

Les yeux du maire se sont **perdus dans le vide** pendant un moment, puis il a relevé la tête et a **souri**. Était-ce une larme que je voyais au coin de ses yeux ?

— **Vous êtes magnifiques**, il a dit. Oui, vous êtes **exactement** ce dont le village **a besoin**.

Il a marqué une nouvelle pause, puis a dit :

– J'espère que vous comprenez **pourquoi je vous demande tout ça.**

J'ai croisé son **regard** dans le reflet.

– **Bien sûr**, monsieur le maire.

VENDREDI
MÀJ IV - APRÈS-MIDI

On est rentrés en silence. À présent, presque tout le monde était à la fête, les rues étaient quasi désertes. Pourtant, on pouvait apercevoir des silhouettes au loin. Des silhouettes d'humains.

Ils montaient la garde, aux aguets, leur arc enchanté sur l'épaule.

Il y en avait un tout là-bas, en haut de la tour, prêt à activer le système d'alarme si le besoin s'en faisait sentir. Mais je ne pouvais pas le voir d'ici.

En arrivant à la salle des fêtes, tout était à peu près comme on l'avait laissé : des posters et des banderoles, des juke-box, des gâteaux. Et environ un millier de gens en train de célébrer la victoire de Bourg-Village. Celui Sans Yeux était toujours en liberté, mais ses larbins avaient pris une sacrée raclée.

Pour nous, c'était suffisant.
On prenait toutes les petites victoires
que le destin nous tendait.

J'ai entendu un rire à ma droite. Alizée se faisait emporter par un groupe d'humaines. Elles ne cessaient de parler de sa cape. Mastoc n'en revenait pas de la mienne. Il m'a fait une tape dans le dos et m'a lancé **un grand sourire**.

– C'est quoi ça ?

– Pour **la cérémonie**, je pense.

J'ai jeté un coup d'œil à la foule enjouée de villageois et d'humains.

– **Alors, quoi de neuf ?** j'ai demandé. Du nouveau depuis que je suis parti ?

– Mouais, ce gamin-là – **Tristan**, je crois –, il a dit qu'il était en train de jouer sur le rempart l'autre jour et qu'il a vu **un lapin** sur les plaines. Mais pas n'importe quel lapin. Il a dit que c'était **un zombie**.

Mastoc a fait **une grimace d'horreur**, puis a pouffé de rire.

– L'imagination des gamins ces temps-ci !

– **Mmmmh**, j'ai dit. En fait, je vais me pencher là-dessus. J'irai le voir **plus tard**.

– Ah ! Et j'arrête pas de croiser **ce vieux bonhomme**, un peu flippant. Une tenue rouge, chapeau rouge, lunettes de soleil noires, grande barbe blanche. Il a dit qu'il s'appelait **Cacao**. Cacao **Withernoix**.

– **Cacao Withernoix ?**

J'ai **réfléchi** un moment, mais ce nom ne me disait rien, et sa description physique non plus. Ça ne me surprenait pas tant que ça.

Des étrangers se pointaient **toutes les semaines** à présent. Pas des gens qui voyageaient,. plutôt **des survivants**. Souvent, il s'agissait d'un petit groupe de villageois à **l'air hagard** qui s'étaient enfuis d'un tout petit bourg après s'être fait attaquer au beau milieu de la nuit. Et parfois, il s'agissait d'un humain **qui avait parcouru l'Overworld** pendant des mois. À chaque fois, on les accueillait, et on leur faisait visiter le village avant de leur donner des trucs à faire.

– Bon, et ce... **Cacao**, j'ai dit, c'est un des nouveaux arrivants de ce matin ?

– Peut-être. Mais en tout cas, **il est flippant**. Je l'ai aussi vu traîner près d'une **bibliothèque**.

– Intéressant...

Encore une fois, je ne me souvenais pas avoir vu quelqu'un qui collait à la description que faisait Mastoc.

– OK, il faudra donc **s'en méfier**, j'ai dit. Quoi d'autre ?

– Euh... **rien**, je crois.

– **Bon travail**, continue comme ça. Et surveille tes arrières. Même si l'ambiance est à la fête, il ne faut pas oublier qui nous sommes.

J'ai ponctué ma phrase en touchant **mon épée en diamant** qui était maintenant fixée sur mon dos. Le sourire de Mastoc a **un peu pâli**.

– Oui, **monsieur** !

– **Hé** ! Pas besoin de m'appeler **« monsieur »**.

– Mais ils m'ont dit que je devais t'appeler comme ça maintenant que tu es **Capitaine**.

– **On s'en fiche**. On se connaissait avant d'atteindre un bloc de hauteur. Moi, c'est **Minus**, d'accord ?

– Ça marche, a dit Mastoc en fronçant les sourcils. Mais, Minus, tu es **vachement sérieux** tout d'un coup. Qu'est-ce qui s'est passé ?

J'ai baissé la tête, je ne savais pas trop quoi lui dire. Qu'est-ce que je pouvais bien répondre à ça ? Je n'arrêtais pas de penser à ce que le maire avait dit plus tôt. « **Tu es un guerrier**, Minus. **Gardien** de notre village. Et aujourd'hui, il faudra **te comporter** en tant que tel... » Bien sûr, je n'avais pas besoin de dire tout ça à Mastoc. Il comprenait très bien. Il comprenait **mieux que personne**. Il était là, quand des centaines de monstres ont failli pénétrer dans le village. Donc, je n'ai rien dit, et lui non plus, et il a hoché **lentement** la tête. Il s'en souvenait peut-être, lui aussi. Des villageois sont passés à côté de nous, ils **riaient**, ils se lançaient **des blagues**, nous donnaient des parts de **gâteaux**... Les images ont rapidement quitté nos esprits. Pour le moment.

D'ailleurs, j'étais **tellement concentré** que j'ai failli ne pas remarquer qu'ils étaient aussi habillés **en tenues d'humains**, comme moi. Alizée avait raison. Nous ressemblons de plus en plus aux **Terriens**. Et ils commencent à nous ressembler, eux aussi. Voir leur leader a suffi à nous en convaincre. **Kolbert21337**, Originaire de la Terre, Commandant en Chef de la Légion Perdue... Il portait une tenue de **villageois**.

– **ARRÊTEZ** DE M'APPELER COMME ÇA, S'IL VOUS PLAÎT, il a crié. KOLB TOUT COURT, ÇA IRA. Il faut vraiment que je trouve une autre étiquette enchantée pour changer ce nom ridicule... Au fait... J'ai **une annonce importante** à vous faire ! Mon meilleur copain **Kaeleb** a trouvé comment faire de la **tarte aux pommes** ! On aimerait partager cette **découverte** et vous la faire goûter ! En échange, nous aimerions goûter **votre fameux ragoût à l'herbe !** Nous avons entendu qu'il s'agissait d'un mets local très prisé, et nous voulons savoir quel goût ça a !

Il a poursuivi en nous parlant **d'une fête sur Terre** où des gens venant de groupes totalement différents s'échangeaient de la nourriture. Les humains voulaient tenter de l'implanter ici. **Malheureusement**, ils ne savaient pas dans quoi ils se lançaient. **Le ragoût d'herbe** est effectivement un mets local servi **rarement**, mais pas vraiment parce que c'est bon, simplement parce que **c'est dur à faire**. Il faut des cisailles avec **un enchantement de Toucher de Soie** pour récolter de l'herbe. Mais en ce qui concerne le goût, il vaudrait mieux manger de l'herbe crue, **ce serait meilleur**.

Pauvre Kolbert… euh « **Kolb** ».
Il va **vite** s'en rendre compte.

Enfin, le maire a annoncé qu'il était l'heure de **la remise des prix**. En s'approchant, on a vu qu'il tenait **six petits objets** dans sa main, ils n'étaient **pas plus gros que des graines**. Deux ressemblaient à **des cœurs**, deux ressemblaient à **des épées**. Par contre, je n'ai pas reconnu les objets de la dernière paire. Ils étaient **gris**, **en pierre**, avec des traces de **diamant bleu** par-ci par-là. Ils ressemblaient à des sortes... **d'oiseaux ?**

– Pour les élèves de cette **promotion**, nous avons crafté **des emblèmes** censés représenter leurs **exploits**, les professions qu'ils ont choisies et leurs titres.

Il a montré l'emblème qui ressemblait à **un oiseau** et l'a élevé au-dessus de sa tête. Le soleil faisait briller **les petits diamants** de manière magnifique.

– En particulier celui-ci, L'Oiseau-Bloc de Diamant. Il a été sculpté dans un bloc de **minerai de diamant**, ce qui démontre sa valeur et sa **rareté**. Tous les emblèmes ont ainsi été craftés pour rendre hommage à ceux qui se sont **battus pour protéger** le village. De tous ces valeureux guerriers, ce sont les deux jeunes villageois qui se tiennent devant moi qui se sont battus **avec le plus d'ardeur**. C'est pour cela que nous les nommons Capitaines et qu'ils dirigeront tous les deux **leur unité**.

Un tas de monde s'est mis à **chuchoter**, mais ce n'était **une surprise** ni pour moi ni pour Alizée. Le maire nous en avait parlé quand il nous a emmenés dans la pièce. Il a dit qu'il voulait **qu'on sorte du lot**. On a fait **nos preuves**, tout ça... Mais moi, je pense qu'il y a autre chose. Il nous a aussi dit que notre groupe serait le **premier** à partir pour **l'exploration de l'Overworld.** Pour ce qui est de diriger et de prendre les bonnes décisions, je sais que le maire a plus confiance en Alizée qu'en moi. **Je le comprends**. Parfois, je laisse **mes émotions** prendre le dessus. Alizée perd **rarement** son sang-froid. Alors, elle sera genre... **ma nounou ?** Nan, c'est pas le genre de choses qu'un guerrier héroïque dirait. Elle fera en sorte que je ne fasse pas de boulettes. **Voilà.**

Le maire nous a fait **un signe de la tête.** Nous remémorant les instructions qu'il nous avait données, nous avons posé **un genou à terre**. Il a accroché des emblèmes sur la partie gauche de notre cape, près de notre **cœur**. Ils tenaient vraiment bien, comme **des pistons collants**. Il faut aussi noter qu'il a ajouté **une paire d'emblèmes** au lot : des **petites étoiles bleues**. Les emblèmes officiels des **Capitaines**. Il a **remplacé** mon badge de diamant avec. Il indiquait à la foule **la signification** de chaque emblème en les accrochant. Si j'ai bien compris, il s'est inspiré de la **Légion Perdue**. Chaque membre de ce clan doit s'adonner à ce qu'ils appellent **un jeu de rôle**. Comme ils sont censés être **des chevaliers**, ils doivent se comporter comme des chevaliers. Du coup, ils ont aussi une cérémonie pour devenir des chevaliers, qu'ils appellent **adoubement**.

« … et explorateurs de l'Overworld. »

Je voulais le croire, mais j'avais **surtout l'impression** qu'il s'agissait d'un **grand spectacle** pour remonter le moral des villageois. Je ne me considérais pas comme **un héros**. **Pas du tout**. Je suis encore **un gamin**, dans beaucoup de domaines. J'ai encore peur, **parfois**. Et j'ai encore beaucoup de choses à apprendre. Pourtant, face à tous ces visages **illuminés**, ces larmes essuyées sur les joues, la victoire ne me semblait pas seulement **imaginable**, mais **probable**, **voire certaine**. C'est comme si le **Sorcier Sans Yeux** n'était qu'un autre monstre de bas étage, **facile à battre**.

Les murmures se sont fait entendre, de plus en plus fort, puis **les cris de joie**. Mais ils paraissaient **discrets** par rapport aux battements de mon cœur. Plus je les regardais, plus je sentais ce poids sur mes épaules. **De plus en plus lourd**, à chaque sourire qu'ils me lançaient. Je me rendais seulement compte de tout ce que cela allait impliquer, et à quel point la barre était haute. **Tout le village comptait sur moi.** Ce sentiment a disparu quand j'ai regardé Alizée.

Non, j'ai pensé. Ils ne comptent pas **sur moi...**
Ils comptent sur NOUS.

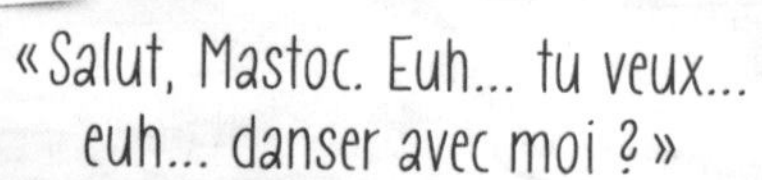

« Ouais, mais seulement si tu arrives à suivre. Je vais lâcher mon dernier pas qui déchire, je l'appelle la Ruée du Creeper. »

« On a trouvé ce bouquin dans la bibliothèque numéro 7 l'autre jour. Il faut que tu le lises. »

« On espère que tu vas l'aimer, y a plein de trucs utiles dedans. »

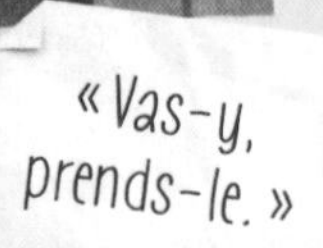

La fête tirait à sa fin, alors j'ai raccompagné Alizée chez elle. Son père était déjà là quand nous sommes rentrés. J'avais remarqué qu'il avait **l'air un peu bizarre** plus tôt dans la soirée, **lugubre**... mais alors là, en le voyant se tenir devant la porte d'entrée, j'ai remarqué que son attitude ressemblait **aux nuages orageux** qui grandissaient au-dessus de nos têtes : sombre et inquiétante. Quelque chose le préoccupait.

Alizée n'a pas eu l'air de remarquer, ou alors elle a choisi de ne pas y prêter attention. Elle s'est tournée avec un sourire.

– À demain, Minus. Repose-toi bien. Une grande journée nous attend.

Son père a fait un léger mouvement, comme un sursaut ? Je n'en suis pas sûr.

– Bonne nuit, a dit Alizée toujours en souriant.

– Bonne nuit.

J'étais crevé quand je suis rentré.

– Bonne nuit, fiston, ma mère a dit.

– On est très fiers de toi, mon père a ajouté.

Ouaip, c'était vraiment le plus beau jour de ma vie. Et demain s'annonce encore meilleur. Demain, je vais vivre ma première véritable aventure, celle dont je rêve depuis si longtemps. Durant la matinée, on devait commencer notre première exploration en dehors des murs. On était censés voyager en groupe et rester visibles pour les gardes sur les remparts. Il m'a fallu une heure pour m'endormir. Je n'arrêtais pas d'y penser. J'étais très impatient.

Et bizarrement, le lendemain semblait impatient, lui aussi.

Toc ! Toc ! Toc !

Hein ? Mais qui frappe ? Ça doit être ma mère. J'ai loupé le réveil. Je vais être en retard à l'école.

J'ai vraiment pensé ça, perdu dans **mon profond sommeil,** jusqu'à ce que mes yeux s'ouvrent et que je m'assoie dans mon lit, **droit comme un i.** Mais c'était impossible que quelqu'un ait **toqué** à la porte. J'étais tellement crevé tout à l'heure que j'ai oublié de la fermer. C'est à ce moment que j'ai remarqué **une silhouette** qui se tenait juste derrière ma fenêtre. Bon, je ne suis pas la personne **la plus brillante** quand je me réveille, mais je me doutais bien qu'il ne s'agissait pas de ma mère.

Non, qui que ce soit, il s'agissait d'un humain...

... et quand je l'ai examiné de plus près... **oui**...

Il m'a emmené jusqu'à **sa maison**, puis dans une toute petite pièce sombre. Une bibliothèque **secrète**.

C'est là qu'il m'a **tout** raconté.

Comment nous allions **nous faire attaquer**.

Comment nous serions **incapables** de faire face à l'attaque.

Pourquoi nous avions besoin de **meilleures protections**, de **meilleures armes**, de **meilleures munitions** que ce que nous possédions. Et pourquoi un simple établi n'était **pas suffisant** pour ça.

Il m'a montré un livre, **très ancien**, et le dessin d'un objet que je pensais **inventé** de toutes pièces. **Une forge de l'éternité**, aussi appelée **un établi perfectionné**.

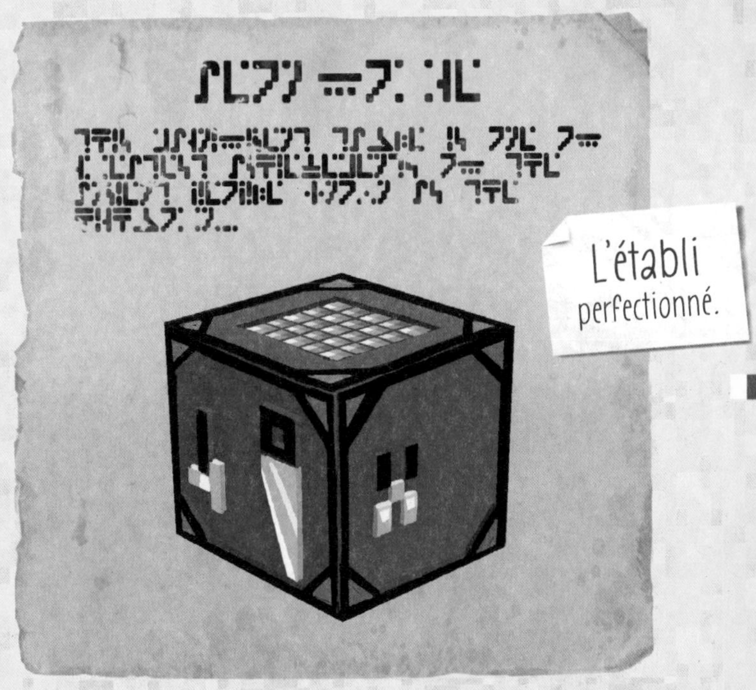

Des membres de la Légion Perdue sont partis à la recherche d'un **établi perfectionné**, il y a quelques semaines. Ils sont revenus ce soir, **les mains vides, épuisés...**

– Je sais que tu réussiras **là où ils ont échoué**, Kolb a dit. Tu dois partir. **Ce soir.**

– Tout seul ? **Et Alizée ?**

– Elle voudra te faire **changer d'avis**, tu le sais. Et pour ce qui est des autres, ils ne feront que te **ralentir**.

– Je suppose que tu as **une bonne raison** de ne pas y aller toi-même ?

– **Oui**. Les membres de **la Légion Perdue** continuent de se disputer les uns avec les autres. Si je partais maintenant, **le clan imploserait**. Et même si je partais, **je ne survivrais pas** une seule nuit.

– Qu'est-ce qui te fait dire ça ?

– **Je suis... poursuivi**.

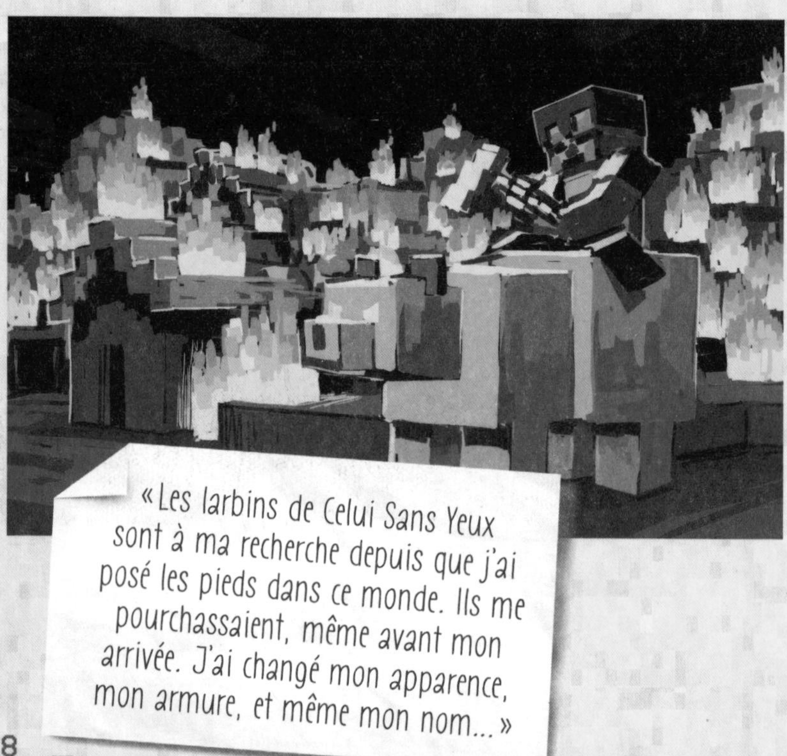

– S'ils découvraient **qui je suis vraiment**, chacun d'entre eux se rueerait vers cet endroit. Donc, **je dois rester caché**.

– **Je ne comprends pas.** Pourquoi est-ce qu'ils te cherchent ?

– Ils me voient comme **une menace**. Je n'en dirai pas plus.

« Tu ne peux pas lire les caractères anciens, pas vrai ? Ça veut à peu près dire : "Détruisez-le". Que veux-tu ? Les monstres me haïssent. »

Alors, comme ça, Kolb est **véritablement un chevalier haut placé** ? Tellement **puissant** que les monstres de **Celui Sans Yeux** sont à ses trousses ? Et il m'envoie suivre **une quête** qui permettra de sauver mon village ? Qu'est-ce qu'on peut bien répondre à ça ?

– … **Tu nourriras mon bébé slime** quand je serai parti ?

Le plan était clair :

– Rends-toi au nord, va au village de **la Travée du Hibou**. Un bibliothécaire du nom de **Plume** possède l'établi que tu cherches.

Ensuite, il m'a donné **une carte d'Ardenvell**, le principal continent de notre monde.

– Elle n'est pas vraiment **complète**, mais ça devrait suffire. Les gars ont perdu la mienne.

Le but paraissait **si proche** sur la carte. J'ai été surpris quand il m'a dit que ça allait prendre **des jours...**

Bien entendu, j'aurais dû demander **l'avis** de ma bande avant de me lancer dans **une quête complètement folle** au beau milieu de la nuit...

... Mais bon,

vous me connaissez.

JOUR 1
SAMEDI

Tout est arrivé si vite. Soudain, je chevauchais un grand cheval blanc en essayant de tenir dessus, alors que l'animal était lancé à pleine vitesse.

J'avais un million de questions dans la tête. Est-ce que Kolb me disait la vérité ? Pourquoi était-il poursuivi ? Qui était-il ? Et puis cet établi... Allais-je vraiment trouver un village qui s'appelle la Travée du Hibou ?

Plus important encore : est-ce que j'ai pris la bonne décision, là ? Je viens de faire quelque chose de très dangereux, et je suis mort de peur. Le maire va être très en colère...

Mais qu'est-ce que j'étais censé faire ? Si j'en avais parlé à Alizée, elle m'en aurait empêché. Tout le monde m'en aurait empêché. Kolb a raison. Et puis s'il a aussi raison à propos de l'attaque, alors on aura besoin de tout ce qu'on pourra trouver.

J'ai jeté un nouveau coup d'œil à la carte. La Travée du Hibou n'est pas notée, mais elle est là. Quelque part. À 50 000 blocs de

distance, à peu près. Ma quête est plutôt claire : je dois me rendre **quelque part**, parler à **quelqu'un** et essayer de ne pas me faire boulotter sur le chemin. **Pas de problème.** J'aurais bien aimé qu'il me file **une autre carte**, par contre. Même si c'est la plus complète que l'on puisse trouver à **Bourg-Village**, ça ne veut pas dire grand-chose.

Quand on pense aux **autres cartes**...

(Il m'a aussi donné une carte comme celle-ci. Je... ne comprends pas trop pourquoi. Mais je comprends pourquoi tant de savoir villageois s'est perdu au fil des années, quand on dispose d'informations aussi utiles...)

Pour ce qui est du reste, **je suis ultra bien équipé** : il m'a donné un stack de carottes, un stack de pousses de chêne, un demi-stack de charbon, un établi, un fourneau, un lit. Et **332 émeraudes** de

l'enderchest de son clan. Et j'ai un service entier **d'outils en pierre** que j'avais fabriqués, et puis, bien sûr, **mon épée**. Par contre, je porte toujours les mêmes habits. **C'est un problème**. J'ai l'air d'un noble qui voyagerait depuis un royaume **riche et puissant...** genre un royaume où les **pommes d'or** sont servies à la cantine et où tout le monde boit **des potions de soin** comme s'il s'agissait d'eau... Mais rien de tout cela ne donne **de protection ou d'avantages**. Et c'est quand même **méga pratique**, la protection et les avantages. Je pourrais m'habiller avec **un gros sac à betteraves** s'il pouvait constituer une armure, voire me donner un tout petit peu plus de **vitesse**.

Je m'en ferais une chemise
et la porterais avec fierté.

JOUR 1
SAMEDI – MÀJ I

J'avance **doucement** vers le nord et je me **surprends** parfois à jeter des coups d'œil vers le sud, **vers chez moi**. J'ai décidé que si je voyais **un nuage de fumée** après le coucher du soleil, je me précipiterais vers le village, **aussi vite que possible**. Je me rendais bien compte qu'il serait trop tard le temps que j'arrive, **mais bon...**

Je n'arrive pas à m'empêcher d'imaginer **la tête du maire** quand il apprendra la nouvelle de mon départ. Cette situation est un peu **ridicule**, en fait. Quelques heures après avoir été **acclamé** en tant que **héros du village**, je disparais sans laisser de traces. Lui qui voulait **remonter le moral des troupes...** J'entends déjà **Émeraude** faire **des blagues** à ce sujet. Genre je me suis tellement pris pour **l'Explorateur de l'Overworld** que je n'ai attendu personne et suis parti **sans instructions.** Bon, d'accord, c'est un peu quelque chose que j'aurais tendance à faire.

Bon. Le soleil se couche. Je ne vais pas tarder **à camper**. Enfin... je vais creuser **un abri d'urgence**, pas le temps de faire plus. Je ne vous expliquerai pas non plus comment on fait pour **creuser** un abri de fortune. **Je l'ai déjà fait.** Et puis j'aimerais ne pas m'attarder sur le fait que je vais passer la nuit dans un trou. J'ai encore un peu de **dignité**.

Dans un trou... à côté d'un cheval...
un cheval dont j'ignore le nom...
un cheval qui me bave dessus.

JOUR 1
SAMEDI - MÀJ II

J'ai du mal à m'endormir.

J'ai **deux blocs** entiers qui me séparent de l'extérieur et pourtant j'entends toutes sortes de **bruits**.

Des hurlements au loin, **des appels étranges**. Ce ne sont pas des bruits que feraient des **zombies**, c'est à peu près tout ce que je sais. Pressé tout contre la terre humide, dans le noir absolu, **j'ai attendu...** J'ai écouté ces cris, en pensant à chez moi. Ma famille. Mes amis.

J'ai repensé au livre, ce bouquin très lourd que Max m'a tendu avant de partir avec **Lola**. J'ai mis une torche à mes pieds, et j'ai tourné **la première** page.

CHAPITRE 1
MÉTAUX RARES

NOUS DÉBUTERONS CE TOME AVEC UNE ÉTUDE DE CES MÉTAUX RARES ET PEU CONNUS, DONT BEAUCOUP PENSENT QU'ILS N'EXISTENT QUE DANS LES LÉGENDES. IL FAUT SAVOIR QUE CES MÉTAUX EXISTENT BEL ET BIEN ET POSSÈDENT DES QUALITÉS DIVINES QUE TOUT ARTISAN HORS DU COMMUN DEVRAIT MAÎTRISER.

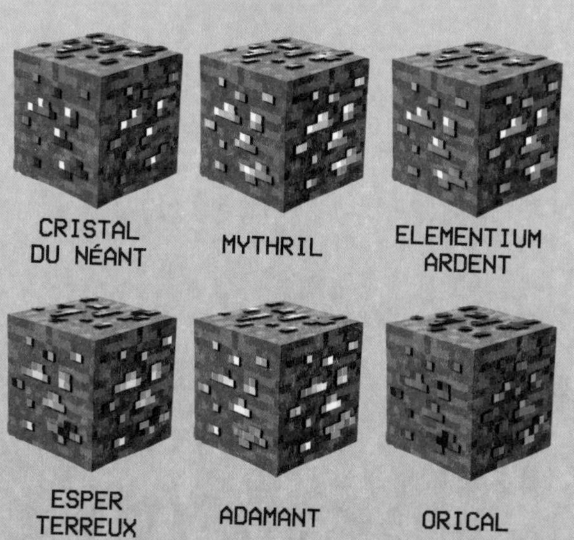

JOUR 2
DIMANCHE

Je suis tombé sur **un village en ruines**. Peut-être un **incendie**. Il ne reste que les fondations en blocs de pierre. Même après avoir fouillé, je suis reparti les mains vides. Pas d'outils, pas d'armes, pas de traces de bataille. Même pas de débris.

Ce village est juste...
vide.

Je l'ai même dessiné, avec une note disant : « *En fait, c'est pas si pire que ça. Je vais mettre quelques plantes, deux-trois tapis, un tableau... Mmm, laissez tomber.* »

Évidemment, je voulais dire par là qu'aucune déco ne suffirait à **embellir** cet endroit. Mais **j'ai jeté mon dessin**, parce que je me sentais coupable d'avoir blagué, alors que des gens ont **souffert**. Ce doit être le village natal de certains des survivants qu'on a accueillis. **C'était leur maison**. Je me souviens encore de leurs visages quand ils sont arrivés.

Si jamais je retrouve les responsables de ces horreurs...

JOUR 2
DIMANCHE - MÀJ I

Le cheval est **parti**. Je ne lui ai pas mis de laisse simplement parce que je n'en ai pas. **Kolb aurait pu m'en donner une !**

Franchement, le cheval était pile là, à 15 ou peut-être 20 blocs de distance, en train de boulotter de l'herbe. J'ai examiné quelques maisons, j'ai écrit dans ce journal, **je suis revenu et... super.**

Le truc encore **plus bizarre**, c'est que je peux voir à des centaines de blocs alentour, et je ne vois **aucun cheval**. Il a vraiment dû s'enfuir à toute vitesse. J'ai été un si mauvais maître ? **Genre !** J'ai plus nourri ce cheval que moi-même !

Génial. Kolb va être en colère après moi lui aussi ! Et voyager à pied va prendre **des plombes**, et être **beaucoup plus fatigant**.

Je ne sais pas combien de temps vont tenir ces carottes. Je vais peut-être devoir partir à **la chasse** à un moment. **Hé !** Mais j'ai **pris** mon arc avant de partir ! **Je suis trop content**. C'est ça qu'un vrai guerrier aurait anticipé, même quand un humain se pointe au milieu de la nuit et l'envoie en quête d'un objet qui existe... **ou pas.**

Bon, **positivons.** Au moins, je n'aurai pas à supporter ce cheval **baveux** ce soir. Les chevaux mangent aussi des pommes de terre, apparemment. Et apparemment... mon nez ressemble à **une patate.**

JOUR 2
DIMANCHE - MÀJ II

Je me demande ce qu'ils deviennent... Que s'est-il passé après mon départ ? Kolb pourrait avoir beaucoup d'ennuis pour m'avoir envoyé à l'aventure tout seul. Il se pourrait que ça ruine l'alliance entière. Et si les humains se faisaient chasser du village ? S'ils se faisaient bannir par le maire ?

Non, ça a pu se passer différemment. Après tout, Kolb a dit qu'il allait tout gérer. Il a dû réussir, sinon Alizée serait montée sur un cheval et serait venue me chercher. Elle m'aurait déjà rattrapé à l'heure qu'il est. Donc, je vais poursuivre comme si tout était normal. Tout le monde s'implique, et parfois ça veut dire avoir les pieds dans la boue et s'aventurer en dehors des remparts. C'est tout. Alizée doit mener Max, Mastoc, Lola et Émeraude sur un travail de terrain. Ils vont trouver des cavernes. Faire des repérages. Ils doivent passer leurs nuits dans un abri brillamment construit... En tout cas, en comparaison de ce que j'ai creusé, ça doit ressembler à la Suite Royale de l'Auberge Claire. Et ils doivent se dire qu'ils sont grave balèzes, en mangeant des stacks de pain dur et en racontant des histoires au coin d'une torche de redstone. Ouuuuh, flippant.

Note : j'ai ajouté le village détruit sur le plan. Si je découvre un jour son nom, je le mettrai à jour.

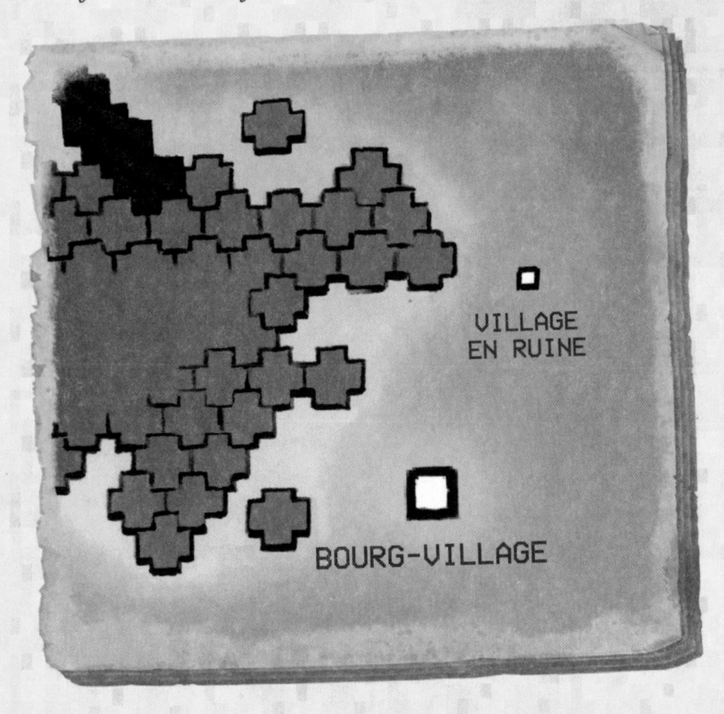

JOUR 2
DIMANCHE - MÀJ III

Dans une nouvelle demeure, **j'ai récité ces mots à voix haute.** Ce sont les noms de quelques **métaux rares**, ou **éléments** rares, et il y en a plein. La plupart n'existent que dans **d'autres dimensions**. Je veux dire : **les dimensions plus loin que l'End.** Ils sont super **durs** à récolter, même avec **une pioche en obsidienne**. D'autres n'existent pas à l'état naturel dans d'autres dimensions et sont donc

impossibles à extraire. On les crée en faisant fondre d'autres matériaux dans ce qu'on appelle **un creuset**. C'est une sorte de **fourneau amélioré**.

Je suis aussi perturbé par le fait que **l'elementite** se décline en 5 types d'éléments différents. **Feu, terre, air, eau et ombre**.

Selon l'auteur du livre, un villageois nommé **Theonius** qui a vécu il y a au moins 500 ans, les savants pensent qu'il existe encore plus de types d'elementite différents. Ils se battaient aussi pour savoir s'il fallait l'appeler **elementite** ou **elementium**.

Hum… **Intéressant… Zzzzz**.

Reprenons la lecture, même si ce livre **me barbe un peu**. Je n'arrive toujours pas à **m'endormir**. Un zombie traîne au-dessus de ma tête depuis une heure, au moins. À un moment, j'ai entendu un bruit étrange : **tonk, tonk, tonk**. Mon imagination est partie en vrille. Je voyais un monstre horrible **mi-arbre, mi…** Mais non, c'était rien que le zombie, qui fonçait dans les troncs d'arbre. **Je suis tellement bête.**

Mais qu'est-ce que je fais là, moi ?

On a qu'à planter des arbres tout autour du village,

BINGO !

JOUR 3
LUNDI

Ma matinée s'est résumée à marcher beaucoup et à manger des carottes. En gros. Je sais. C'est hyper palpitant comme programme. J'aime bien commencer mes rondes dans l'Overworld ainsi.

À un moment, je suis tombé sur une flèche logée dans un recoin d'une falaise. Ça, c'est pas très intéressant, mais en fait ce n'était pas une flèche normale. Sa pointe était faite d'un morceau d'obsidienne avec un visage flippant qui me faisait penser à un fantôme. Son expression était bizarre, à la fois triste et en colère, comme si quelqu'un venait de voler le muffin qu'il était sur le point de manger. Moi, ça me rendrait triste et ça me mettrait en colère.

Il va sans dire que je n'ai jamais vu de telle pointe de flèche. Je pense qu'elle est empoisonnée, ou enchantée, avec un horrible sort qui ferait passer le sort de Châtiment pour une légère migraine. Mais comme je suis un aventurier téméraire, j'avais un peu envie de me piquer avec la pointe pour voir ce que ça ferait. Je me suis vite rendu compte qu'un zombie, un cochon-zombie ou même un creeper seraient de meilleurs cobayes.

« **Nan,** cette flèche n'est pas du tout enchantée avec un sort de Fonte de Noob VII. Elle a été sculptée **dans l'amour** et **la joie purs.** »

Je suis sûr que si je frappais l'herbe avec,
ça ferait naître des milliers de fleurs.

JOUR 4
MARDI

J'ai repéré **une forêt** au milieu des plaines. Elle contenait en son centre un endroit qui ressemblait à **une grotte**, avec **une falaise** et **une cascade**.

C'était **magnifique**, un endroit attirant, avec des fleurs et des feuilles mortes de toutes les couleurs et des rochers pleins de mousse sous **une eau bleue cristalline**, sous la lumière éclatante du soleil.

Viens, me disait cet endroit. *Rien qu'une* ***petite baignade****.*
Tu n'as pas à t'inquiéter. Il n'y a pas de creeper ici. ***Promis, juré****.*
Ne fais pas attention à ***ce bruissement*** *derrière toi. Ou à ce sifflement.* ***Concentre-toi*** *sur l'eau claire.*

C'est peut-être pour ça que **je me suis approché** à pas **très précautionneux**, je m'attendais **au pire**. Mais il n'y avait rien. Pas de **calmar géant** provenant des profondeurs. Pas de zombies surgissant du sol.

Rien que de **la tranquillité**, une douce brise...
et une fille au look **très étrange**.

– Es-tu... **un PNJ** ? elle a demandé, en reculant un petit peu.

– ...

Et voilà, ***c'est reparti****,* j'ai pensé. *Comme si je n'avais pas suffisamment entendu parler de PNJ au village. Attendez, ça veut dire qu'elle est humaine ?* ***Non, pas possible.*** *Elle ne leur ressemble pas du tout.*

– Je m'appelle **Minus**, j'ai dit en m'approchant.

Elle a **failli tomber** en reculant. Elle a lancé **un regard** dans ma direction avant de **s'enfuir dans la forêt**. Apparemment, je suis le villageois **le plus impressionnant** qui ait jamais existé.

– Hé ! **Attends !** Reviens !

Mais elle avait déjà disparu.

Je suis **resté planté** là pendant un moment. **Qui était-elle ?** **Qui, ou quoi ?** Et c'était quoi **cette épée ?** Elle était **fine**, mais bien **plus longue** que toutes les épées que j'avais jamais vues.

Elle n'est **pas humaine**, pour sûr, j'ai murmuré.
Pas avec ces oreilles.

C'est là que je me suis rendu compte que j'avais **vachement** parlé tout seul ces derniers temps. Je me posais des questions à moi-même. Je n'y avais **jamais** trop pensé, mais on se sent **vraiment seul** dans l'Overworld. J'avais entendu que c'était pas mal **désert**. Mais on ne se rend pas compte à quel point **avant de le voir de ses propres yeux.**

J'ai vécu dans un village toute ma vie,
donc je ne suis **pas vraiment habitué** au silence.

Y A
QUELQU'UN ?

JOUR 4
MARDI - MÀJ I

« L'Overworld. Le Nether. L'End. Le Vide. L'Aether. La Fissure. Le Royaume des Ombres. Le Voile. Le Maelström. L'Abysse. Le Canal. La Cime. La Zone. Icerahn… »

Un peu plus de lecture dans une maison souterraine temporaire. Je révise **les différentes dimensions**. Avant de les réciter, j'en ai étudié une en particulier. **Le Vide**. C'est un endroit **mystérieux** avec des plantes **cristallines**, des lacs aux pouvoirs **étranges** et une population de **mycons**. Ils sont connus pour leur artisanat. Ils ressemblent autant aux villageois que **les champimeuhs** ressemblent aux vaches.
Je m'y rendrai peut-être, **un jour**. Un chemin y mène depuis l'Overworld. C'est **une gigantesque faille** dans une forêt, loin à l'ouest. Et le bouquin parle de passerelles **entre le Nether et le Vide**. Cette info ne m'est pas très utile parce que je n'ai **aucune envie** de me rendre dans un monde où toutes les créatures **crachent du feu**.

Bon, je **retourne** réviser.

L'AETHER

LA 5^{E} DIMENSION, L'AETHER, EST CONSTITUÉE DE GRANDES ÎLES EN PIERRE D'AETHER, SUSPENDUES AU-DESSUS D'UN VIDE PARSEMÉ D'ÉTOILES.

DIFFÉRENTES POPULATIONS L'HABITENT, NOTAMMENT LES HOMMES-POISSONS ET LES HOMMES-OISEAUX, DONT LES VRAIS NOMS SE SONT PERDUS AU FIL DES SIÈCLES. ILS SONT PACIFIQUES, MAIS SONT PARFAITEMENT À MÊME DE SE DÉFENDRE.

LA DISTANCE ENTRE LES ÎLES PEUT ÊTRE TRÈS GRANDE, AINSI D'AUCUNS PRÉFÉRERONT L'UTILISATION D'UNE MONTURE AILÉE POUR SE DÉPLACER, COMME UN CORBEAU SPECTRAL : UN OISEAU NATIF DES GRANDES ÎLES ET QUI S'APPRIVOISE FACILEMENT AVEC DES BETTERAVES OU DU SUCRE. LES PLUS RAPIDES D'ENTRE EUX POURRAIENT RIVALISER AVEC UN DRAGON DE L'ENDER À LA COURSE.

Euh... des fantômes géants de poulets qu'on peut chevaucher comme des chevaux ? Pourquoi suis-je né dans l'Overworld, hein ? Pourquoiiii ?!

JOUR 5
MERCREDI

J'ai vu des gens ce matin : 5 humains se déplaçaient **en formant un V**. Comme eux, leurs chevaux portaient **des armures noires**, et ils allaient **vite**. Ils allaient au moins **deux fois plus vite** que les montures de Kolb.

Leur chef m'a vu, lui aussi. **Était-ce leur chef ?** Il ne m'a pas fait de signe, il a simplement **fait demi-tour**, alors qu'ils parcouraient les plaines d'est en ouest. Ils avaient l'air **pressés. Et très sérieux.** Comme si **le destin du monde** reposait sur leurs épaules. Et leur manière de s'habiller… me rappelait **la Légion**. Faisaient-ils partie du clan de Kolb ?

JOUR 5
MERCREDI - MÀJ I

Bon, et sinon, je commence à être à court de carottes. C'est la version **optimiste**, car il ne me reste en fait que **deux carottes**. Un truc vient de me frapper. **Ça fait... 5 jours ?** Peut-être bien 5 jours que je n'ai pas croisé d'animaux. J'ai vu **un poulet** le premier jour. Et une **vache** le second. Mais j'avais encore plein de carottes à ce moment-là, et un cheval.

Ça craint. Les animaux sont-ils si **rares** dans l'Overworld ? Ce serait comme **des diamants** sur pattes ? Je n'arrive même pas à trouver 1 poulet. **Rien qu'1 seul !** J'ai écrit **« 1 »** pour économiser ma barre de nourriture. **Ça me fatigue moins.**

MAJ : écrire ne semble pas affecter ma barre de nourriture. Ou ma barre de faim. Je ne sais même pas comment l'appeler, je sais juste que mon estomac commence à **grogner** quand il ne me reste que deux cuissots de poulet. J'essaye de me rappeler ce qu'a dit Max en cours... Seules les **activités physiques** affectent la barre de nourriture. Donc, si jamais je meurs de faim, tout ce qu'il me reste à faire, c'est... **arrêter de bouger.** Ma barre ne bougera pas d'un poil, j'attendrai qu'un cochon passe par là, et **BOUM** ! Je me préparerai une côte de porc grillée sur un fourneau ouvert, sautée avec des champignons et assaisonnée avec des petits bouts de pissenlit et peut-être un peu d'herbe coupée d'un bloc d'herbe, comme Mastoc fait quand il décore ses gâteaux...

Oh !

J'ai déjà le goût dans la bouche !

Hein ? Qu'est-ce que vous dites ? Nan, je ne meurs pas du tout de faim ! **Qu'est-ce qui vous fait dire ça ?** Un guerrier **téméraire** dans mon genre ne se mettrait pas dans ce genre de situation ! Je suis juste prévoyant ! Croyez-moi !

JOUR 5
MERCREDI - MÀJ II

J'ai lu des trucs à propos **d'Ardenvell** aujourd'hui. La plus grande ville, aussi appelée **capitale**, est **Aetheria**. Loin vers l'ouest. On dirait **un petit paradis**. Le livre parle de tours blanches, magnifiques, touchant presque le ciel. De grands forgerons y habitent. **L'Ordre des Chevaliers d'Aetheria**, aussi. Un ordre ancestral, qui date de la **Seconde Grande Guerre**.

JOUR 6
JEUDI

J'ai vu un poulet. **Un poulet !**

N'importe quel jour, ça n'aurait pas été **très important**.

Mais aujourd'hui, c'est la **meilleure** nouvelle du monde. J'allais vraiment m'arrêter là – j'ai vu un poulet –, et ça aurait été le passage **le plus important** de l'Overworld, du Nether, de l'End, du Vide, de l'Aether, de la Fissure, du Royaume des Ombres... **Bon, j'ai oublié les autres.**

Mais revenons-en au poulet. **Sans arc**, j'ai dû le pourchasser. Pour ce faire, j'ai aussi dû manger **ma dernière** carotte. Sans ça, je ne pouvais pas aller assez vite. Alors que la bonne odeur du poulet rôti flottait dans l'air, j'ai entendu **un bruit sourd**, suivi d'un deuxième. Les poulets se sont mis **à pleuvoir du ciel**, ou c'est l'impression que j'en avais. Ils battaient des ailes dans tous les sens. Y en a même un qui a volé dans **ma face**.

C'est quoi leur problème ? j'ai pensé. **Un loup ?**

Je leur ai couru après et en ai **attrapé 6** en tout. C'est là que c'est devenu **étrange** *(soupir)*. J'ai couru après **le dernier**. J'ai levé mon épée au-dessus de ma tête. J'espérais bien que ce serait mon repas de demain et le tiers d'une flèche. Et puis j'ai remarqué **un truc bizarre** :

les plumes du poulet n'étaient pas blanches mais surtout **grises**, **verdâtres** ou encore **jaune-marron...**
Alors, croyez bien que **l'aventurier sérieux** que je suis était conscient que ce poulet pouvait appartenir à une espèce **inconnue** ou provenir d'un biome spécial, genre **les savanes de l'ouest...**
Peut-être que les poulets des savanes de l'ouest ont plus de couleurs que les autres poulets, j'en sais rien moi, je ne suis pas expert en poulets ! **Mais ce poulet**, il... euh... il avait... **Enfin**, il n'avait pas de... de... Bon, si je le dis de but en blanc, **vous allez avoir peur**, et ça ne sera pas de ma faute. **On respire un grand coup...** Allez, **c'est parti !**

Ce poulet... n'avait pas d'yeux !

Non, quand les gens parlent de Celui Sans Yeux... ce n'est pas à ça qu'ils pensent.

C'était un zombie. Un poulet-zombie. Alors, Tristan avait raison ! Ça paraît **fou**, mais **il existe** bel et bien des animaux-zombies. Mais comment **le poulet-zombie** peut-il survivre au soleil ? Et pourquoi **personne** ne nous a appris ce genre de trucs à l'école ? Peut-être que les profs se disaient qu'il valait mieux qu'on ne soit pas au courant, ils devaient penser que certains d'entre nous se mettraient **à pleurer** et qu'entre deux sanglots ils diraient : « Ç... ç... ça veut dire que N... N... Nuage est un z... **zombie** ? »

Ou peut-être que les profs n'étaient **pas au courant**. Est-ce un nouveau phénomène ? **Causé par quoi ? De la magie ?** Un sort horrible de **Celui Qui Ne Cligne Jamais Des Yeux ?** Qui pourrait infliger quelque chose de si horrible à **un pauvre petit animal ?**

Il a essayé de m'attaquer, mais il se déplaçait bien plus lentement qu'un zombie, avec des pattes toutes gauches et **une allure de robot**, comme un petit golem. Je pouvais reculer en faisant de petits pas et l'éviter facilement. Petit battement d'ailes. Un petit pas... Ah non, il s'est **arrêté**. **Ah, il revient**. Non, il s'est arrêté **encore une fois.** Le pauvre. Ça ne pouvait pas continuer.

– **Désolé**, poulet.

Le fait d'être mort-vivant semblait rendre le poulet **plus coriace**, et il a fallu **deux coups de mon épée en diamant** avant qu'il ne se transforme en cuisse. Mais elle n'a pas l'air... comment dire... **comestible.** À part pour **un cochon-zombie du nom de Urg**.

(Quoi ? Ne me regardez pas comme ça ! C'était le héros d'une série de bouquins à la bibliothèque : **Urg le Barbare**. *Il mange tout. Dans le deuxième tome, il survit dans l'Overworld en se nourrissant de* ***chaussures de zombies.****)*

Même Urg ne mangerait pas ça, j'ai pensé, en fixant le sol. L'esprit ailleurs, j'ai laissé **la nourriture moisie** sur le sol, et j'ai marché, **marché**, **marché...** à travers les montagnes et dans les vallées, les monts et les buttes, par-delà des affleurements de pierre, puis de gravier, des sentiers grisâtres qui étaient, **il y a très longtemps**, des routes très utilisées et sans danger.

Des voix.
Des murmures
au loin.

Un mur géant de
pierre. J'ai titubé,
un pied chancelant
devant l'autre.

Ma mâchoire inférieure
est tombée comme une
enclume. Je n'étais pas
en train de rêver.

La Travée
du Hibou.
Je l'avais trouvée.

(Regardez-moi ces petites bannières. C'est pas trop cool ? Est-ce le symbole du village ? Je ne sais pas trop à quoi elles servent, mais elles sont belles, et il m'en faut une. J'essayerai d'en crafter une quand je serai rentré au village.)

Les trois gardes **m'ont fait un signe**, sans dire **un mot**. Les blocs de fer ont dévoilé **des rues couvertes de gravier** et des petites maisons **en bois**. Et tellement de gens, **tous différents** les uns des autres. Partout où je posais le regard, **des villageois** qui bavassaient, jardinaient, commerçaient avec les autres occupants du village. **Des humains, surtout.** Et puis d'autres gens **ressemblaient à la fille** que j'avais vue, celle à **la peau grise et aux longues oreilles**. Certains avaient l'air **encore plus étranges**. Il y avait vraiment de tout.

… Et puis certains avaient la peau bleue et étaient appelés des « nains sombres ».
« Hé ! Tu veux ma photo, noob ? »
On pouvait même croiser un loup humanoïde.
« Je ne m'y ferai jamais. Coincé dans un jeu débile, et ressembler à ça… »

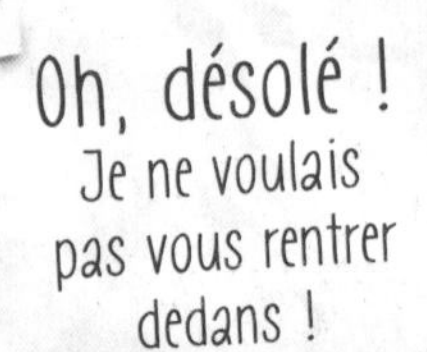

Aujourd'hui, un villageois un peu bête nommé Minus a appris que la Travée du Hibou était en fait considérée comme une ville.

Si j'ai bien compris, **la Travée du Hibou** est une sorte de croisée des chemins pour **les explorateurs** comme moi. Les auberges et les boutiques pullulaient, **offrant le gîte** à ceux qui voulaient se reposer ou **fournissant les ressources** à ceux qui voulaient repartir à l'aventure. Et la quantité de maisons était **hallucinante**. J'ai peu à peu **oublié ma mission** en me baladant dans ces rues. J'explorais, ébahi, **m'imbibant de l'atmosphère.**

Je n'étais **même pas surpris** d'entendre toutes sortes de noms **étranges**. Bichegirl. Mister Pasta. EnderLord80000. KasseurKreeper. Des noms **aussi variés** que leur apparence. Mais certains avaient **des noms normaux**. Harold. Alex. Jake. Rebecca. Sarah. Emma.

Par contre... voir tous ces gens m'a fait penser à ce que Kolb m'a expliqué il y a longtemps. **Les humains jouaient à un jeu... vidéo**, où ils pouvaient utiliser **des skins**. Les skins permettaient de **changer leur apparence**. Du coup, ils pouvaient se transformer en tout ce qu'ils voulaient. Des chevaliers, des sorciers, des elfes, des nains, des ninjas, des fées, des princesses. **Ou même des animaux.** Donc... ces gens étranges, **c'étaient simplement des joueurs ?** Après tout, ils parlaient comme les humains de mon village. Parfois, je n'arrivais **pas trop à suivre** leurs discussions. Ils utilisaient des mots **inconnus** comme « **mod** » ou « **serveur** ». Mais j'en comprenais plein d'autres. Quête, PNJ, donjon, butin, armure, expérience. **Mon temps passé avec la Légion** avait porté ses fruits.

J'ai tendu l'oreille pour écouter **une conversation en particulier**. Un nain sombre discutait avec une fille portant de grandes oreilles de chat.

– **Il a vraiment laminé ce boss !** s'est exclamé le nain. Ce golem de pierre n'avait **aucune chance !** Franchement, les donjons dans ce coin sont **trop faciles !**

– **Bah**, les patrouilles, ben **c'est pas aussi fastoche**. Ces cochons-zombies sont **sacrément costauds**. Et puis qu'est-ce qu'ils cherchent, hein ? Pourquoi est-ce qu'il y en a autant ? On devrait peut-être **retourner vers l'ouest.** J'en ai marre de me les farcir à chaque fois qu'on arrive sur **les plaines.**

(Elle devait parler des monstres qui courent après Kolb. Alors, il disait vrai. Il a dit qu'ils étaient tombés sur ses compagnons avant qu'ils n'atteignent la Travée, mais ils ne devaient pas rechercher un petit villageois dans mon genre. C'est peut-être pour ça qu'il m'a choisi...)

– **Oh, allez !** a dit le nain. **Pense au butin !** Tous les donjons qu'on a visités jusqu'à maintenant étaient **blindés de trésors !**

Je me suis approché en **me grattant la gorge**.

– **Hum**, excusez-moi. Vous savez où je peux trouver...

Le nain m'a regardé bizarrement.

– Tu penses qu'on est qui ? **La Légion Perdue ?!** Demande-leur de l'aide, **fiche-nous la paix** !

– À vrai dire, **j'ai vu un membre de la Légion**, m'a indiqué la fille aux oreilles de chat, en me montrant une rue baignée de soleil. Je pense l'avoir vu près de la bibliothèque, **par là**.

Elle s'est approchée et m'a souri avant de poursuivre :

– Moi aussi, **j'ai été une noob**. Ne t'en fais pas. Tu vas t'y faire. **Un petit conseil...** La Légion Perdue a beaucoup **de codes et de règles**, et ses membres doivent les suivre quoi qu'il arrive. Que ce soit la protection des noobs vis-à-vis **des trolls**, **des rageux** ou **des monstres**, ou bien une aide offerte à ceux qui la demandent... sers-t'en.

Le nain s'est mis à **rire**.

– **Je crois rêver !** Un membre haut placé du Clan des Sorciers qui donne des conseils comme **une PNJ de début de partie** !

– C'est **son jour de chance**, elle a répondu en haussant les épaules. Je suis **de bonne humeur**.

Elle a levé les yeux **vers le ciel**, vers **les nuages sombres** annonçant l'orage, et les éclairs qui perçaient déjà les cieux au-dessus des montagnes.

– Bon, on ne va pas **sortir par ce temps**. Tu te souviens de l'autre jour ?

– Ouais, allons patienter **à l'auberge**.

Le nain m'a tapé sur l'épaule avant de dire :

– Bonne chance, gamin.

Et ils sont **partis**, en me laissant sur la route, **encore plus** confus que tout à l'heure. Alors, comme ça, **la Légion Perdue** suit un code d'honneur ? On dirait qu'ils ont **oublié de m'en parler** quand ils se sont pointés aux portes de mon village. Et qui sont les membres du Clan des Sorciers, hein ? Je ferais mieux de me rendre à **la bibliothèque**. Si des membres de la Légion sont là-bas, ils vont m'aider, **c'est sûr**. Mmmmh. Mais s'ils font partie de la Légion, pourquoi ne sont-ils pas **avec** Kolb ?

Une torche s'est allumée dans ma tête. **La bibliothèque**. J'ai tracé dans les rues, dans la direction que la fille aux oreilles de chat m'avait montrée, et je l'ai trouvée : *Aux Deux Plumes.*

C'est vraiment **mon jour de chance**, j'ai pensé en regardant le ciel. Je ne devrais pas **pousser le bouchon** trop loin. Je n'ai pas envie de me transformer en sorcière avec un de ces éclairs. En plus, j'aime pas préparer de potions, c'est la barbe. Hé ! Mais pourquoi « Aux Deux Plumes », d'ailleurs ?

L'orage avait déjà éclaté le temps que j'atteigne la porte. Ça n'est pas quelque chose de surprenant dans l'Overworld. On passe du soleil à la pluie en un rien de temps, et aux orages qui remplissent d'effroi et nous poussent à nous enfermer chez nous. Pas parce qu'on a peur de la foudre, mais parce qu'on pense à tous les creepers électriques qui doivent traverser les plaines, suffisamment nombreux qu'ils feraient exploser une porte en obsidienne.

J'ai défoncé les portes de la bibliothèque comme un humain le ferait avec celles de Bourg-Village. Malheureusement, il n'y avait qu'une seule personne dans le bâtiment, et elle n'était pas membre de la Légion. Ce n'était pas Plume non plus. Ça ne pouvait pas être Plume. D'après Kolb, Plume n'était pas seulement un bibliothécaire, mais aussi un sorcier spécialisé dans les légendes anciennes et les antiquités. Du coup, je m'attendais à ce que Plume soit comme les trucs qu'il étudiait : ancien, poussiéreux, avec une barbe, de gros sourcils, une tenue de sorcier bleu nuit et un bâton noueux. Bref, le cliché du sorcier, quoi. Mais ce n'était pas du tout ce que j'avais sous les yeux.

JOUR 7
VENDREDI - MÀJ I

Jusqu'à hier, je pensais que les cochons-zombies avaient l'air étranges. Mais à la vue d'une **fille à la peau verte**, j'ai à nouveau oublié tout ce qui concernait **les établis perfectionnés** ou le sauvetage de mon village. J'avais **une seule question** en tête :

– Êtes-vous... une **zombie** ?

Elle m'a regardé **bizarrement**.

– Tu n'as jamais vu de **limoniade** auparavant ?

Vu **ma réaction**, elle a ajouté :

– **Ah !** C'est la première fois que tu visites **un autre village**. Tu es bien tombé. J'ai même quelque chose qui pourrait **t'aider**.

Elle a attrapé **un gros volume** sur une étagère et me l'a balancé **violemment**, comme si elle cherchait à **m'assommer** avec.

– C'est la maison qui **offre**, elle a dit avec un sourire. Tu ferais mieux de réviser ta **mythologie**.

Super. Genre j'ai besoin d'un autre livre. J'ai poussé **un soupir** et j'ai baissé les yeux vers la couverture de cuir rouge : *Les races d'Aetheria.*

– Oh, et moi, **c'est Plume**.

Elle m'a ensuite fait la leçon sur **les limoniades**, comme quoi ce sont des **nymphes** qui ont des liens avec les prairies et les champs, un peu comme des elfes, des dryades ou des fées.

Ça expliquait **la couleur de sa peau**, de ses cheveux et les bracelets de **fleurs**. Quant aux gens à la peau grise, ils sont appelés des **elfes de la lune**. Les loups humanoïdes sont des **lupins**. J'avais déjà compris pour **les nains sombres** parce que j'en avais entendu parler dans la rue *(et que je suis très, très intelligent).*

Bon, ça suffit, j'ai pensé. **Je suis en mission**, pas en sortie **scolaire**.

J'ai regardé les **deux blocs bizarres** tout près de nous. Plume était en train de **les manipuler** quand je suis entré. Ils ne ressemblaient pas à l'établi dont Kolb m'avait parlé, mais c'était un début, et **j'en avais marre** d'entendre parler de fées.

– C'est quoi, ça ?

– **Des blocs de commande**, elle a dit en se penchant dessus. Je les ai eus pour pas cher à une vente aux enchères. Personne ne les veut parce qu'ils pensent qu'ils ne valent rien, mais moi, je suis persuadée que personne ne sait les utiliser, **c'est tout**. Ils ont au moins **3 000 ans !**

Craignant une nouvelle leçon, j'ai décidé d'aller droit au but :

– Et **un établi perfectionné ?** Tu as ça qui traîne ?

– Un établi perfectionné ? Tu veux dire **une forge de l'éternité ?**

Elle a souri.

– Tu veux te mettre au **crafting de pro**, c'est ça ? Tu as de la chance, je peux t'en vendre une. Pour **seulement 2 500 émeraudes**.

Mon esprit a **surchauffé** à l'entendre dire :

(1) seulement ;

(2) 2 500 émeraudes.

J'avais presque envie de lui donner **une leçon** moi aussi sur les **formulations classiques** utilisées en commerce : les points **(1)** et **(2)** ne s'utilisent **jamais** dans la même phrase.

– Est-ce qu'il y a moyen de **baisser un peu le prix ?** Genre une réduction pour **les... étudiants ?**

J'ai fait de mon mieux, histoire d'avoir **l'air pitoyable**.

– C'est pour **un devoir à l'école.** Les profs, ils ont dit que je n'aurai jamais la moyenne en **Crafting VIII**, à part si j'arrive à fabriquer **un baril de poudre**.

J'ai essuyé **des larmes imaginaires**. Snif. **Snif**.

– Sans cet établi, **je suis fichu !**

– Désolé, le prix n'est **pas négociable**. Tu te rends compte de la demande pour un tel objet ? **Personne ne sait les construire.** Plus personne du moins. C'est **un artisanat disparu**. Ça veut dire qu'il n'en reste qu'un certain nombre dans le monde. Et à chaque fois que quelqu'un **tombe avec** dans une mer de lave, eh bien ce nombre **se rapproche de zéro**.

Alors, tu veux **la jouer** comme ça...

En rassemblant toute **ma finesse** et **mon intelligence**, j'ai répondu :

– Je vois.

C'est tout ce que je pouvais dire. Arriver ici, voir autant de gens bizarres, **ça m'avait vidé.** Et puis ça n'aurait servi à rien de discuter, elle était **manifestement fière** de son attirail. Mais j'avais une dernière idée derrière la tête.

En gros, **je suis parti** et **je suis revenu** quelques minutes plus tard, un morceau de papier dans les mains. Je l'ai frappé contre le tapis volant qui servait de table. **Boum, boum.** *(Je n'ai pas fait ce bruit, mais à bien y réfléchir, j'aurais dû. Ça aurait fait plus dramatique.)*

ÉTABLI
PERFECTIONNÉ
RÉDUCTION
90 %
VALABLE CHEZ
AUX DEUX PLUMES

« MON NOM EST PLUME ET J'APROUVE CE COUPON. »
PLUME

UTILISER DES CISAILLES LE LONG DES POINTILLÉS.

« Bien essayé. Au fait, il y a deux p à "approuve" ».

JOUR 7
VENDREDI - MÀJ II

J'ai erré dans les rues après mon départ.
Désespéré. Apitoyé sur moi-même.
Me grattant le menton en **réfléchissant** à ma situation.

Mes talents de **marchandage** n'ont eu aucun effet ! Cette fille est une pro. **2 500 émeraudes...** Est-ce que des gens se promènent vraiment avec **autant de pierres précieuses** dans la poche ? Et pourquoi Kolb m'en a-t-il donné si peu ? **C'est tout ce qu'il avait ?** Ma barre de nourriture était à deux. J'ai vu un villageois en train de **pétrir du pain**, alors j'ai échangé 25 blocs de chêne contre 5 miches. C'était **une mauvaise affaire**, mais je m'en fichais. *(La blague, c'est que j'aurais même échangé tout le stack contre une seule miche.)* **Ensuite**, je suis entré dans un magasin qui vendait **des armes et des armures**, d'après les panneaux à l'extérieur.

Je ne sais pas pourquoi j'y suis allé.
J'avais **besoin** d'infos.

Le nain forgeron ne m'a pas salué. À vrai dire, il a fait comme si je n'étais **pas là**. Pour lui, **je n'existais pas**. Il était entraîné à repérer **les grippe-sous inexpérimentés** dans mon genre. Mais c'était pas grave, je voulais juste jeter un œil aux **ensembles**, en particulier **celui en cuir rouge enchanté**, avec un sort de Protection contre le Feu, et deux ensembles entiers de **diamant**. Je n'avais jamais vu d'armures d'une telle qualité au village.

Ou ce genre de prix : **8 000 émeraudes** pour la combinaison en diamant, **gloups** !

C'est sûr ***maintenant****, j'ai pensé. Les émeraudes ~~poussent~~... euh... tombent des arbres comme des pommes ici.*

C'est là que j'ai vu **un plastron en acier de l'Ender**. Tout droit sorti du livre que **Max** m'avait donné. Les armures de diamant **ne valent rien** en comparaison. On pourrait sûrement **tuer un dragon de l'Ender** avec ce machin.

Je me suis approché de cette **merveille**, la fixant, l'étudiant... elle et son prix :

27 000 émeraudes.

Cette vue... La vue de cet objet **hors du commun**, trônant sur un bout de bois comme n'importe quelle autre armure, malgré la petite fortune qu'il coûte... Cette vue a **bouleversé** mon être.

Elle a **détruit** mon monde. Je m'étais fait une petite bulle, **toute saine**, toute normale, qui venait **d'éclater**. Je venais de réaliser que mon village de naissance, le lieu où j'avais vécu toute ma vie... était un village de **noobs**. Je n'avais pas conscience du tout du monde dans lequel je vivais, et je n'avais rien, **je n'étais rien**.

Mais c'est bien, non ? C'est ce que j'avais toujours cherché, toujours voulu. J'étais devenu ce dont **je rêvais**, un aventurier en herbe, sur les routes, parti à la découverte de l'inconnu, à presque **100 000 blocs de la maison**, 500 émeraudes dans ma poche et la soudaine envie de continuer. **Je me suis redressé**. J'ai hoché la tête. Il fallait que j'y arrive. Pas de **pleurnicheries** cette fois. Le village comptait sur moi, et seulement moi. **Alizée** n'était plus là pour me tenir la main.

Mais par quoi commencer ? Mon épée en diamant ne valait qu'une toute petite portion de ce dont j'aurais besoin.

Où trouver assez d'émeraudes pour acheter l'établi ?

Je me suis **rapidement** rendu compte que les situations se débloquaient parfois toutes seules, ou dans mon cas **grâce à ce qui venait de passer la porte du magasin.**

JOUR 7
VENDREDI - MÀJ III

Le jeune homme portait **une armure en cuir abîmée** et une vieille épée **rouillée**. Il s'est approché timidement du comptoir et y a jeté **un assortiment de fleurs**. Des orchidées bleues, des pâquerettes, des croissants du matin. Et d'autres que je ne reconnaissais pas.
Le sourire du forgeron était **comme un soleil**.

– **Merci** ! Vous ne savez pas à quel point **je suis heureux** ! On dirait que, finalement, je vais pouvoir fabriquer cette armure pour **l'anniversaire du Roi à temps** ! **Quelle belle journée** !

Des fleurs pour une armure ?

J'ai immédiatement oublié ma question quand j'ai vu le forgeron poser **une pile d'émeraudes** sur le comptoir.

Quoiiiii ?! Ma mâchoire pesait **une tonne**. Il y avait au moins 150 émeraudes, ou **200**, non...

– **250**, a dit le forgeron. Comme promis.

Sans dire un mot, l'homme à l'épée a mis les émeraudes dans le sac accroché à sa ceinture, a tourné le dos au forgeron et s'apprêtait à partir. **Il s'est arrêté**. Juste à côté de moi. Il s'est tourné **lentement**. M'a regardé. A ouvert la bouche. **L'a refermée**. L'a ouverte et l'a refermée. **Un cube de sueur** est apparu sur son front, et il a **soupiré**. Si je devais choisir un mot pour le décrire, ce serait « **perdu** ». C'est tout ce que je voyais dans ses yeux. Peut-être avait-il **débarqué récemment** dans notre monde, **enlevé du sien** comme tous les autres. Ou alors peut-être n'arrivait-il toujours pas à se faire à la vie ici.

– S... **Salut**, il a dit.

– Salut, j'ai répondu. **Euh...** j'ai une question.

Craignant que **le forgeron** m'entende, j'ai regardé par-dessus mon épaule avant de chuchoter :

– Pourquoi **tant d'émeraudes** pour des fleurs ?

Il a tiqué.

– Tu… n'es pas au courant ? **C'est une quête !**

– Genre **un travail ?**

Il m'a lancé un nouveau regard **bizarre**.

– Les quêtes ont été intégrées aux **dernières mises à jour**. La plupart des PNJs **t'en donneront une** si tu leur parles suffisamment longtemps. Surtout dans cette ville.

Sa voix se faisait plus sûre à mesure qu'il parlait.

– Donc, j'ai juste à leur **demander des quêtes ?**

– **Ouais**, si on veut. Je vais te montrer.

Je l'ai suivi, alors qu'il s'approchait à nouveau du comptoir.

– Ce gars **cherche du travail**, il a dit au forgeron. Vous avez **une mission** pour lui ?

– **En effet**, a dit le forgeron. Je recherche de la **mousse lumineuse**. Vous en trouverez dans **un tombeau** au sud-est. **Le Tombeau du Roi Oublié**. Je vous paierai **750 émeraudes** en échange de ce bien.

J'ai senti **mon cœur tomber** dans ma poitrine, comme un zombie du haut d'une cascade. C'était moins que **le tiers** de ce dont j'avais besoin. **Mais…**

Le garçon à l'épée m'a donné **un coup d'épaule**.

– **Vas-y**, il a chuchoté. 750, **c'est plutôt pas mal**, et les donjons sont généralement **remplis de trésors**. Les objets que tu trouveras là-bas vaudront peut-être **des milliers d'émeraudes**.

Le zombie dans **ma cage thoracique** dansait à présent sur un nuage.

– **J'accepte** cette **quête**, j'ai dit. Dites-moi où trouver ce donjon, et je vous apporterai **votre mousse** en moins de deux.

– Ravi de l'entendre, a dit le forgeron. **Avez-vous une carte ?**

Il a pris mon plan et y a ajouté **l'emplacement du tombeau**.

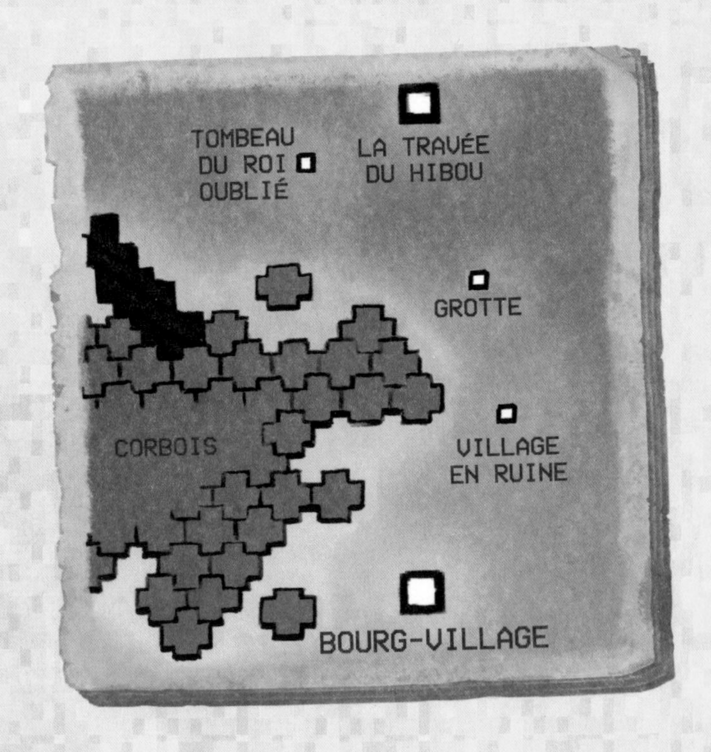

– Donc, j'y vais et je récolte **votre mousse lumineuse** ? C'est tout ?

Le forgeron a souri.

– **Oui, c'est ça !** Ça devrait être une mission facile pour un jeune aventurier comme vous ! Avant de partir, **prenez ça**.

Il a posé **un objet étrange** sur le comptoir.

– **Bonne chance**, jeune homme ! Maintenant, excusez-moi, mais j'ai **un cadeau d'anniversaire** à fabriquer. **Une armure digne d'un Roi !**

J'ai regardé l'objet. Je n'en avais jamais vu **de tel**.

– Qu'est-ce que je fais **avec ça ?!** j'ai demandé à l'humain, dont j'ignorais toujours le nom.

– **Vraiment ?** Tu ne sais pas ce qu'est **une clé** ? **Waouh !**

Je ne pensais jamais rencontrer quelqu'un qui serait **plus perdu** que moi ici...

J'ai eu droit à **une nouvelle leçon**. À propos de donjons et de clés.

– **Les donjons** faisaient aussi partie de la mise à jour. Ils peuvent ressembler à n'importe quoi maintenant, **un labyrinthe souterrain**, **un petit château** ou même **une ville entière**. Et ça, c'est le plus fou : ils ne peuvent pas être modifiés. Une fois qu'on entre dans un donjon, **on ne peut pas creuser ou placer quoi que ce soit**. Parfois, il faut utiliser **des clés** pour ouvrir les portes. Ces clés sont souvent données par des PNJs, ou alors elles proviennent **des monstres abattus.**

– Je ne comprends pas, j'ai dit. **On ne peut pas creuser ?**

– **Les Ouvriers** ont bâti les donjons. Si l'on pouvait se servir d'outils à l'intérieur, cela **anéantirait** tout leur travail. Et des **trolls** pourraient placer **des blocs d'obsidienne** devant des portes pour empêcher les noobs de passer. Ou on pourrait **creuser un tunnel jusqu'au boss de fin** sans se soucier des méchants, des énigmes et des pièges, alors **à quoi bon ?** Les donjons ont été construits pour être des **épreuves.**

Waouh ! Trop d'informations d'un coup.
Mais le **point positif** : il n'est pas en train
de m'appeler un PNJ.

Je ne comprenais pas tout ce qu'il disait, mais j'avais pigé **en gros**. Dans le donjon, il faut **suivre les règles**. Il faut l'explorer comme les Ouvriers l'ont voulu. **Mais qui sont ces ouvriers ?** Pourquoi se donneraient-ils tant de mal pour créer **des épreuves** pour d'autres gens ? **C'est un mystère.**

J'ai dû avoir l'air **très confus** parce que le garçon à l'épée m'a regardé **bizarrement**, encore une fois.

– Tu n'as pas dû jouer des masses **en mode multijoueur**. C'était ta première partie sur **le serveur Aetheria ?** Tu étais connecté, pas vrai ? Quand le serveur **a crashé**.

– **Euh**, en fait... je...

– Comment as-tu fait pour **survivre ?** Tu t'es caché ici ?

Comme je restais **silencieux**, il m'a posé encore plus de questions :

– Tu te souviens de ce qui s'est passé ? **Le crash ?** L'événement ?

Je ne **savais pas du tout** de quoi il parlait. Ça avait sans doute à voir avec les disputes qu'avaient les humains, au village. Bla-bla **« interface »**, bla-bla **« MindLink »**. Un monde virtuel **devenu réel**.

Il pensait que j'étais un des leurs. **Un humain**.

– Non, je ne sais pas, je suis... ce qu'on appellerait **un PNJ**.

– **Oh**.

S'en sont suivies **dix très longues minutes de silence**.

– **C'est la tenue**, il a dit. Je n'ai jamais vu un PNJ villageois porter ce genre de tenue, alors je me suis dit... **Mouais**. J'ai l'impression d'être un noob. Enfin, il était grand temps que **je sois pote** avec **un PNJ**.

Il a souri et m'a serré la main.

– **Je m'appelle Eto**.

– Minus. **Minus Fourneaufer**.

Ensuite, on a pas mal discuté. D'où je venais. Ce que je faisais là. Il venait de **la capitale** où il avait accepté **une quête** avant qu'une série de missions ne le mènent jusqu'ici. Il m'a dit qu'une quête peut concerner **n'importe quoi**. Elles sont souvent **basiques**, genre sa cueillette de fleurs. Mais parfois une quête peut conduire à **explorer les quatre coins du monde**.

Eto avait le regard **perdu** dans le vide, ou à un million de blocs de nous.

– **Moi non plus**, je n'ai pas beaucoup exploré ce monde. J'ai trouvé récemment **le courage** de quitter la capitale, et **sa sécurité**. J'ai croisé un type il y a quelques jours. Un bon gars, **un bon joueur**. Il explore **depuis le début**. Il a commencé à voyager pendant que la plupart d'entre nous étaient occupés à **se cacher et à flipper** dans leur coin. Il avait de ces **histoires...** Les endroits qu'il a visités, les choses qu'il a vues... Des vaisseaux, des avions, une ville souterraine plus vaste et plus impressionnante que la capitale... Il se considère comme un chasseur de trésors.

– Quand tu parles de vaisseaux, tu veux dire des bateaux, pas vrai ?

– Non, je parle de vrais vaisseaux, avec des voiles, et des cabines, et tout ! Ce type en a un. Enfin, c'est ce qu'il raconte. Il a dit qu'il était un chasseur de trésors. Il voulait partir avec un villageois explorer l'océan. Et peut-être aussi le continent au nord.

– Tu veux dire qu'il existe un autre continent ?

– C'est ce qu'il prétend.

Un autre continent. J'étais comme frappé par un éclair. Sauf que je n'avais pas été transformé en sorcière, sinon j'aurais pu préparer une potion pour me rendre plus intelligent et comprendre tout ce qu'il racontait. Ça m'a pris 8 jours, à pied, pour parcourir un tout petit bout de la carte. Il peut y avoir des milliers de villages sur Ardenvell, et tout autant de villes et de châteaux. Et cet humain était en train de me dire qu'il y avait peut-être plusieurs continents !

– C'est un peu bizarre, il a dit. Malgré ses exploits, ce gars ne se souvient même pas de son propre nom. Il sait juste qu'il commence par un S.

– C'est vrai que c'est bizarre.

– Ouais... il a dit en regardant la porte. Faut que j'y aille, je dois voir quelqu'un.

– D'accord. Je pense que je dois dire merci ? Merci pour tout.

Il a hoché la tête.

– Et si tu veux t'essayer à ce donjon, je te conseille de demander à quelqu'un de t'accompagner. N'y va jamais solo. À plus !

Mon nouvel ami est parti, en me laissant avec plein de questions sans réponses.

Je n'arrêtais pas de penser à ce qu'il m'avait dit. J'imaginais un navire parcourant les biomes les uns après les autres, des avions volant à travers les nuages et une ville souterraine peuplée de nains.

Mais rien n'avait l'air plus merveilleux
que la petite clé en obsidienne dans ma main.

JOUR 7
VENDREDI - MÀJ IV

L'orage était presque fini quand je suis sorti du magasin. Je suis allé jusqu'au **square du village**, vu que plein de gens aimaient traîner dans ce coin. J'ai croisé la fille aux oreilles de chat de tout à l'heure et le nain grossier. Ils remplissaient leur barre de nourriture. Quand je leur ai demandé s'ils pouvaient m'aider, ils ont failli **recracher leurs gâteaux.** Le nain m'a dit :

– **Si j'ai bien compris**, tu veux qu'on t'accompagne dans un donjon ?

– **Voilà.**

– Et tu n'as jamais... **visité de donjon ?**

– **Non**, jamais... mais je ferai de mon mieux ! **J'apprends vite !** Et je peux **porter** des trucs ! Je serai comme **un inventaire bonus !** Et une paire de bras en plus. Quand vous aurez besoin d'une potion de soin, **je serai là !** Porteur de potions, **à vos ordres !** J'ouvrirai ces potions tellement vite que les zombies penseront que vous avez **dix barres de vie !**

J'ai soupiré.

– En fait, j'ai dit, j'ai **vraiment besoin** d'émeraudes.

Le nain s'est mis **à rire**.

– Ça, **c'est certain**. Mais les noobs n'ont pas **leur place** dans les donjons. Je me sentirais **coupable** s'il t'arrivait quelque chose.

– **Il a raison**, a dit la fille aux oreilles de chat. Les donjons sont pleins de **monstres très puissants**. Ils sont beaucoup plus forts que les monstres de l'Overworld. Et puis c'est rien comparé **aux pièges**. Il suffit d'en actionner un, et **c'en est fini de toi**. Quelqu'un trouvera **tes biens** par terre, quelques jours plus tard, et ça lui servira uniquement à savoir qu'il y a **un piège à éviter.**

– **D'accord**, euh… M… merci quand même. À plus. **Bonne chance.**

J'ai cherché un compagnon pendant quelques minutes. J'allais bien trouver quelqu'un. Mais quasiment **personne** n'était seul, et le peu de gens que j'ai pu approcher ont détourné le regard ou **ont poliment refusé.**

– Un donjon ? **Non**, j'attends quelqu'un.

– **Nan**, moi, je ne vais pas dans les donjons.

– Peut-être **une autre fois**.

Mon visage a dû passer par **toutes les émotions**. **Confusion**. **Frustration**. **Désespoir**. **Tristesse**. **Doute**. Imaginez un cochon-zombie qui se ferait frapper par la foudre **8 fois** dans la même semaine. Imaginez sa tête au bout de la huitième fois. C'était **plus ou moins ma tête.**

J'avais l'impression que rien de ce que j'avais appris à l'école ne me serait utile. **Du moins pas ici**. L'Overworld est tellement différent de ce que j'ai lu, pensé et rêvé depuis tout ce temps. **Un noob**. Je suis vraiment **redevenu un noob**. Ce qui ne serait pas si grave si je n'avais pas à l'être tout seul...

En plus, je commence à avoir **la poisse**. Je m'en suis rendu compte quand j'ai entendu le grognement de ce qui semblait être un cochon monstrueux, dans mon dos.

Je me suis **lentement** retourné.

JOUR 7
VENDREDI - MÀJ V

– Hé, le villageois ! C'est **un ogre** qui te parle !

Au loin, derrière une centaine de personnes en train de discuter, un **cochon-zombie** était en train d'approcher. Il était couvert d'une **armure en cuir noir** et de **pics en fer grossiers**. Je me doutais qu'il s'agissait de l'un des monstres **qui courraient après Kolb**, donc j'ai fait demi-tour et j'ai commencé à **marcher**. Jusqu'à ce que je sente une main **se poser** sur mon épaule. J'ai fait **volte-face** et me suis retrouvé face à une paire d'yeux **sombres perçants** et un nez rose et carré. L'haleine était tellement **fétide** qu'elle aurait pu percer de la **roche du Nether**.

– **Hé !** a dit le cochon-zombie. **Je te parle !**

– Ah bon ? **Vous êtes sûr ?** Je croyais que vous appeliez un villageois.

– Tu n'es pas un villageois ?

J'ai baissé les yeux vers **mes vêtements**.

– Est-ce que j'en ai l'air ?

– **Non**, mais...

Il a pointé son nez du doigt avant de crier :

– **Ça suffit !** Je suis **Reh**, serviteur du **grand et puissant Roi-Dieu**, aussi appelé Celui Sans Yeux, l'Infini **Éternel**, Le **Véritable** Sorcier, Celui Qui...

Il a marqué **une pause**, comme s'il avait oublié la suite et a **grogné**.

– Tu dois venir avec moi au **Donjon des Orages** pour interrogatoire !

*Roi-Dieu ? C'est comme ça qu'ils l'appellent ? Et puis lui, **hein ?** Il s'appelle **Reh** ? C'est pas un nom de monstre, ça. En fait, il a de la chance que je sois **si sympa**. Un guerrier avec moins de sang-froid aurait déjà attaqué ce cochon-zombie au nom ridicule, **juste par principe** !*

– D'abord, **c'est génial comme titre**. Roi-Dieu, **Véritable Sorcier...** Super. J'avoue que **« l'Infini Éternel »** est un peu **redondant**, mais bon, ça sonne bien. Bref, j'adorerais vous suivre, **mais euh**, ça dépend.

– **De quoi ?**

– Pendant **l'interrogatoire**, vous me donnerez des cookies et du lait ?

Il a grogné et a dégainé **son épée d'obsidienne**. Il n'aimait pas les cookies et le lait ! **Quel sacrilège !** Je pensais qu'on allait être potes !

J'ai entendu **la voix de Kolb** dans ma tête. Un discours qu'il avait fait devant les membres de son clan :

*Vous êtes les membres de la Légion Perdue ! **Vous êtes balèzes !** Les plus hard des **hardcore** ! Les âmes les plus courageuses de ce monde ! Des tanks qui vont écraser les armées de Celui Qui Ne Porte Jamais de Lunettes de Soleil ! **Sans peur ! Sans pitié !!***

Dans le **tintement cristallin** du diamant, j'ai sorti mon épée de son fourreau.

Il s'en est suivi **un combat épique**, au son des épées qui s'entrechoquaient, des grognements de cochon et des cris des gens alentour, qui se demandaient aussi :

– Je n'ai pas **d'hallucinations ?** Ce sont bien **deux PNJ** en train de se battre ?

J'ai bloqué **tellement** de ses attaques. Ça faisait des semaines que je travaillais **ma défense**. Je bloquais ses coups quelques nanosecondes avant qu'il ne puisse me toucher. **C'était assez barbant.**

Je parais ses coups. Il parait mes coups. Je parais ses coups. Il parait mes coups. **Cool.** Parfois, il échouait. Il ne me restait qu'à **répéter** l'opération 30 fois pour grignoter sa barre de vie et qu'il ne reste plus qu'une ligne de **cœurs vide**.

Ouaip.

Étant un **noble et talentueux guerrier**, beaucoup plus malin et doué au combat d'épée, j'allais **débarrasser** ce monde de cette puanteur tout droit sortie du **Nether**.

Le cochon humanoïde **s'est écroulé** avec un geignement.

– **UrguUuu !!**

J'ai remis mon épée dans **son fourreau** avant que le monstre ne touche le sol. *(C'était tellement pro. J'ai entendu un fermier pousser un petit cri. Au moins un qui était impressionné !)*

Les sphères d'expérience ont volé vers moi et j'ai ressenti la vague familière du gain de **XP**. Un lourd silence flottait. Le monstre s'est **évaporé** dans un nuage de fumée. Les badauds se sont mis à chuchoter les uns avec les autres. Beaucoup d'entre eux **étaient armés**. Des aventuriers, **des explorateurs...**

Ils n'auraient pas pu m'aider au lieu de rester **plantés là ?**

– Qu'est-ce qui se passe ? a demandé quelqu'un.

– Ça fait partie d'une quête ?

– **Peut-être.** On devrait rester pour en apprendre plus !

Mais ils ne posaient pas les bonnes questions.
Où est passée l'armure du cochon-zombie ?
Et son épée ?

Ses biens s'étaient évaporés, comme lui. **C'est pas très sympa.** C'est **une bonne astuce** pour les méchants sorciers en herbe : si vous envoyez des **sous-fifres**, assurez-vous qu'ils ne laisseront **aucun**

objet derrière eux. Comme ça, s'ils échouent, vous n'aurez perdu que votre temps. Alors, comme ça, **Celui Sans Yeux** est vraiment aussi diabolique qu'on le dit... **Celui Sans Cœur, oui !** Le cochon-zombie aurait au moins pu me laisser une émeraude, **pour le principe** !

Quelques instants plus tard, **5 cochons-zombies** se sont jetés sur moi, **leurs épées dégainées**. Là, je dois avouer que j'étais sur le point de les suivre, parce que même s'ils ne m'offraient pas de cookies et de lait, ça voulait dire que je pourrais au moins vivre pour manger des cookies et boire du lait encore **une fois.**

– Salut, les gars. **Ça roule ?** À propos de l'interrogatoire, finalement, je...

Soudain, j'ai entendu **le son de sabots** marchant sur du gravier. Ils s'approchaient **rapidement**. J'essayais de voir qui c'était à travers la foule, mais j'avais du mal à cause de tous les chapeaux, les casques et les coiffures ridicules.

Enfin, je l'ai vue. Elle s'avançait avec tellement de confiance, de grâce, comme si **elle chevauchait depuis toujours.**

Comme si sa place était
sur un cheval et **pas ailleurs.**

Elle a sauté de son cheval et **a sorti** **deux** **épées**, une dans chaque main. C'est là que j'ai vu les petites bulles et spirales colorées autour d'elle, les effets combinés de **plusieurs** **potions**. J'étais davantage **choqué** par son expression : son visage affichait **la colère**, alors qu'il était d'habitude doux et innocent.

Les cochons-zombies se sont lentement **tournés vers elle** en grognant. Ils ne se doutaient pas de ce qui les attendait, sinon ils auraient lâché leurs armes et auraient renié leur « Dieu-Roi ».

– **Herobrine ?!** ils auraient dit. De quoi est-ce que vous parlez ? **C'est une sorte de cornichon ?!**

Au lieu de ça, deux d'entre eux l'ont **pointée du doigt** en se tenant le ventre. **Ils étaient en train de se marrer.**

C'est une de ses forces. **Pierre** l'a dit un jour, en cours. Il avait dû la combattre. D'abord, il s'était tourné vers ses potes pour **se marrer**. Il avait fini par terre, la tête **dans la boue**. On n'aurait pas pensé qu'une épée en bois pourrait être **si dangereuse** jusqu'à ce qu'on en voie une entre ses mains.

Bon, je retire tout ce que j'ai dit à propos de mon combat de tout à l'heure. **Là, c'était vraiment épique.** Notre façon de nous déplacer, **d'entrechoquer** nos épées… On aurait dit un conte de fées. J'avais l'impression d'être revenu au village, quand on combattait dos à dos, sans être sûrs qu'on allait **survivre** cette fois. On les a abattus un à un, jusqu'à ce qu'il ne reste plus de monstres, plus rien que du gravier et de la pierre. Et une foule de gens qui nous **acclamait**.

– Peut-être qu'ils nous laisseront **enfin tranquilles** !

– **Ouais**, mais c'est bizarre de voir des PNJs se mêler de ces histoires. Ça doit vraiment être **une quête**. Peut-être **une mission secrète**. On va rester un peu ici pour en savoir plus.

Et au milieu de la foule, **elle et moi**. **Minus** et **Alizée**. J'avais du mal à réaliser qu'elle était **vraiment là**.

– Comment m'as-tu **retrouvé** ? j'ai demandé.

– Le maire m'a **tout raconté**. Il avait gardé **le secret** jusque-là.

Alors, Kolb a dû en parler au conseil, j'ai pensé. Et le conseil a voulu que **la mission reste secrète** ? Ils cherchaient sûrement à éviter l'affolement. Connaissant les villageois, ils auraient **paniqué** à coup sûr.

– Je suis **vraiment content** de te voir, j'ai dit.

– Moi **aussi**, elle a dit en me prenant **dans ses bras**. Alors... qu'est-ce qui t'est arrivé ?

– **Longue histoire**. En gros, je suis sur **une quête**, et on se dirige vers un donjon.

– **Un donjon** ?

– Je te raconterai sur la route. D'abord, on va acheter **des trucs**. Viens, la plupart des magasins sont par là.

Elle a posé sa main sur mon épaule.

– **Mon cheval est là.**

– **Oh** ! j'ai dit avec une grimace.

C'est gênant. *J'espère qu'elle ne va pas me demander où est...*

— En parlant de ça, **où est Prairie ?**

— **Prairie ?**

— Le cheval de Kolb. **Une monture rare** avec une **selle enchantée.**

Monture ? *C'est une espèce de cheval ? Bah, il n'avait pas l'air si spécial. Et c'était* ***une selle enchantée ?*** *C'est vrai qu'elle était confortable. C'était comme s'asseoir sur un bloc de plumes.*

Grimace.

C'est gênant.

JOUR 7
VENDREDI – MÀJ VI

Sur le dos de **Shybiss**, le cheval d'Alizée, nous sommes partis faire des courses. J'avais besoin **d'une armure** et de **potions**, et puis on avait **faim** tous les deux. On allait faire **un heureux** parmi les commerçants.

Je lui ai raconté tout ce que **j'avais vécu**. Mes rencontres **étranges** sur le chemin. **Plume**. Le prix **hallucinant** de l'établi perfectionné. **Le prix hallucinant de tout ici.** Ce que les humains m'avaient appris à propos des quêtes, des donjons et des clés. Et concernant **Bourg-Village**, c'était exactement comme je l'avais **imaginé** : le maire avait dit à tout le monde que j'étais **dans le pétrin** et que personne ne me reverrait avant que j'aie rempli **5 coffres doubles** de plats préparés avec des patates. Bon, je n'imaginais pas *ça* exactement, mais j'avais bien dit qu'il dissimulerait **la vérité** pour éviter la cohue générale.

– Officiellement, je suis puni pour quoi ?

– **La dissertation.**

– La dissertation ? Ah **oui**, la dissertation.

J'avais complètement zappé. On était supposés **écrire 20 pages** sur le choix de **notre métier**. On devait le rendre le matin où je suis parti.

Comme je suis très **studieux**, je l'ai fait, ce devoir. J'ai écrit **un seul mot** ou **une seule lettre** en énorme sur chaque page. Les deux dernières pages étaient **des dessins**. L'un d'une forêt de monstres en train de **brûler**, l'autre d'un zombie en train de **pleurer**. Mais bon, voilà, **20 pages.**

– Je me doutais que quelque chose **clochait**, a dit Alizée. C'était trop **bizarre**. Pourquoi est-ce qu'ils **t'enfermeraient** pour ça ? Mais je n'ai appris **la vérité** qu'il y a deux jours, quand j'ai entendu Kolb parler avec **mon père et le maire**. Je me suis jetée sur eux et je leur ai demandé de me dire la vérité. Ils m'ont **tout raconté** et m'ont envoyée te chercher. Ils ont dit que **tu aurais déjà dû revenir.**

– Et j'étais censé savoir que **les chevaux s'échappent**, hein ? j'ai soupiré. Bon, et **les autres** ? Personne d'autre ne viendra ?

– **Non**, je suis la seule qui soit au courant. **Ils s'entraînent**. Ils explorent les alentours. On a passé **plusieurs nuits** à l'extérieur. Certains humains ont construit **des tours d'observation**, ils les appellent des « **phares** ». Et puis...

Alizée m'a raconté qu'elle avait **marchandé** pour de nouveaux biens pendant son voyage. Comme pour **la tenue qu'elle portait**. Une tunique en **coton noir**, une jupe dans la même matière et des bottes noires en cuir. Le coton lui permettait d'être aussi bien protégée qu'avec du cuir, mais lui donnait **du bonus en discrétion et en vitesse.** Pareil pour les bottes, qui lui apportaient en plus **un bonus de saut.** Ça lui allait bien, car Alizée privilégiait **la mobilité**. C'était son style, un style qu'elle utilisait au maximum de son **potentiel**.

– J'ai aussi acheté ça, elle m'a dit en sortant **une épée d'émeraude** de son fourreau.

Je l'avais vue **l'utiliser** plus tôt, mais je n'avais pas remarqué la **couleur**. Elle ressemblait beaucoup à une épée en diamant, mais avec **une couleur plus verte.**

– Un peu **mieux** que du diamant. **Mêmes dégâts**, mais un peu plus **rapide** en attaque.

Elle m'a lancé un **sourire** avant de continuer :

– J'ai eu l'occasion de voir plein d'objets **intéressants** du même genre après avoir discuté un peu avec des humaines.

– Et **ces flèches ?** j'ai demandé.

– **Sophia** et **Talia** me les ont données. J'ai presque **refusé**, mais je me suis dit que des **flèches d'épuisement** serviraient toujours.

– **Mmmmh.** Où est-ce qu'elles trouvent tous ces trucs ?

– **Les donjons,** je suppose, qu'elles ont visités avant d'arriver à Bourg-Village.

— C'est bon à **savoir**. J'espère que celui qu'on va visiter sera **rempli** d'objets comme ça. On a besoin d'une mise à jour **niveau équipement**, parce que ces cochons-zombies étaient…

Alizée s'est **agitée** sur l'avant de la selle.

— Qu'est-ce que c'est que ça ?

J'ai suivi **son regard** et j'ai vu au loin un bâtiment qui ressemblait à un **temple**. Il semblait construit **en quartz blanc**.

J'ai d'abord cru qu'il s'agissait d'une **église**. Alizée aussi. Un panneau au-dessus de la porte indiquait **« Temple de l'Entité »**, un autre **« Fosse à dons, à l'intérieur »**. J'ignorais ce qu'était une fosse à **dons**, mais je me doutais que ça avait à voir avec de **la charité**. Genre les gens qui donnent des trucs. **Des offrandes** aux pauvres. Et devinez qui était sans doute la personne **la plus pauvre** de la Travée du Hibou ? Ils allaient bien **filer** quelques émeraudes à ce **malheureux sans-le-sou...**

– On va voir ? a dit Alizée.

– Je pense que c'est **une excellente idée**, j'ai dit en regardant le panneau une nouvelle fois.

Pour moi, il ne disait plus « Fosse à dons »,
mais « Trucs cool gratuits ».

– Oui, **excellente** idée.

JOUR 7
VENDREDI - MÀJ VII

Austère. Majestueux.
À couper le souffle.

Le Temple de l'Entité était tout ça et **bien plus encore.** Les portes doubles en épicéa s'ouvraient sur une pièce **gigantesque** éclairée par la lumière des vitraux. Je ne pouvais m'empêcher de me demander comment cela avait été bâti, avec ces colonnes de **quartz** qui s'élevaient jusqu'au plafond. Quels genres **d'échafauds** avaient été utilisés ? Des blocs de terre ?

Un tapis **rouge** s'étendait entre les allées de bancs et je voyais au loin, sur chaque mur, des **fresques** représentant des **batailles légendaires** : l'une montrait **une armée** de chevaliers contre **une horde** de monstres, des rais de lumière tombaient des cieux, **des flammes** s'échappaient du sol. Plus loin encore, il n'y avait plus de fenêtres et des torches de redstone servaient de source de lumière pour éclairer **un autel** fait d'une **énorme plaque d'obsidienne**, avec des parois sculptées. Alizée est entrée en premier, le son de ses pas se **répercutait** sur les parois. Les miens étaient **plus sonores**. On a observé chaque fresque, chaque statue et tous les reliefs sculptés. Plus on marchait et plus il faisait sombre, jusqu'à ce que ça devienne **carrément lugubre**.

On s'est arrêtés à côté **d'une statue** d'un homme portant une robe et **deux paires d'ailes couvertes de plumes**. Il n'avait pas de visage sous sa capuche et il tenait ce qu'on pourrait appeler un **outil d'agriculture**, même si je n'avais jamais vu d'instruments **aussi gros**.

— **Le Berger Immaculé**, a murmuré Alizée en faisant glisser ses doigts le long du bras de la statue. **Entité**.

— …

Entité… C'était un personnage de **conte de fées**, non ? Oui, ma mère me racontait cette histoire quand j'étais **petit**. Quand on s'inquiétait de notre **récolte**. C'était un personnage **légendaire**, une sorte de **dieu**, un **Immortel**, qui a vécu à l'époque de la **Seconde Grande Guerre**. Le monde était presque déchiré, et quand la situation a empiré, l'Entité a fabriqué **12 armes au pouvoir inimaginable** et a choisi **12 héros** qui en seraient dignes. Pour donner au monde **une chance** de s'en sortir.

— Qu'est-ce qui s'est passé durant **ce dernier combat ?** j'ai demandé. J'ai oublié… Je crois que **les deux camps** ont perdu, c'est ça ?

— Les chevaliers ont pu **détruire** Celui Sans Yeux, mais pas entièrement. Et ils sont ensuite **tombés** sous les coups de ses sous-fifres. Ils se sont **sacrifiés**. Leurs armes ont été **détruites**. Mais elles ont survécu, en quelque sorte. **Des morceaux…** Ces chevaliers devaient réapparaître un jour, afin de restaurer leurs armes et sauver le monde. **Pour de bon**, cette fois.

— Tu t'y connais en **légendes**, j'ai dit en sentant **un léger frisson** me parcourir. On dirait qu'ils prenaient celle-ci très au **sérieux** ici.

Son expression est devenue **sombre**. Ou peut-être qu'elle l'était déjà devenue, dès qu'elle s'était approchée de la statue ? Peut-être que cette légende disait **un peu vrai** ? Peut-être que des chevaliers s'étaient vraiment battus contre **le Mal** avec des armes venues des **dieux**. Peut-être que **l'Entité** existait bel et bien, il y a très longtemps. Est-ce que ça avait une importance maintenant ?

Hé, c'est quoi ça ?

Les yeux **écarquillés**, j'ai pointé du doigt une embrasure de porte.

— Ah ça, j'y crois déjà plus !

D'après le panneau, la porte menait à **la fosse aux dons**.

Vous allez me prendre pour quelqu'un **d'irrespectueux**, mais je me suis mis à **courir**. La pièce était beaucoup plus petite et la fosse aux dons, ben... **oubliez**. Je vais vous la **dessiner**. Les mots ne suffisent pas pour décrire **la merveille** que j'avais sous les yeux.

JOUR 7
VENDREDI - MÀJ VIII

Des objets. Une piscine **entière**, d'un bloc de profondeur. La plupart étaient **en or**, mais j'ai vu plusieurs **pièces d'armure** de cuir et de fer **enchantée**. Une épée en **diamant**. Des selles. Des potions. Et même des accessoires comme des ceintures, des bagues, des bracelets... J'ai sauté dedans et j'ai **fouillé** comme un dragon nagerait dans **son océan de trésors.**

Excité comme une puce, j'ai pris un plastron en fer, **gratuit !** Une épée en diamant de plus, **gratuite !** Et regardez-moi toutes ces potions, qui ne demandent qu'à être **avalées !** Pourquoi faire des courses et payer pour des choses qui se trouvent ici ? **Gratuites ?!** **Minute**, papillon ! **Attendez un peu**. Ça n'a pas de sens. Les gens ont laissé tous ces trucs géniaux ici, **mais pourquoi** ?

J'ai peu à peu **perdu** mon sourire. En effet, ce morceau d'armure qui brillait d'une faible lumière **violette** contenait un enchantement. Je n'en avais jamais entendu parler et il ne sonnait **pas** du tout comme **un enchantement**. Je me suis tourné vers Alizée.

– Fardeau II... ? Qu'est-ce que c'est ?

– Ça fait baisser ta **vitesse d'attaque** et de **mouvement**. De 33 %, je crois.

– Baisser... **pas augmenter** ?

Elle a hoché la tête.

– C'est un enchantement **négatif**. Autrement dit, **un mauvais sort**.

– Mais qui... **pourquoi...** comment c'est possible ?! Je n'ai jamais entendu parler des enchantements négatifs !

– C'est parce que tu as passé **peu de temps** à une table d'enchantement. Ça arrive parfois. **Les enchantements se loupent**, et...

Non, j'ai pensé, c'est pas **possible**. Et puis j'ai commencé à réaliser ce qui se passait, et j'ai examiné les différents objets de cette pile **éclatante**, **rutilante**. Tout était enchanté, les selles, les armures, les jolies bagues en or... Mais partout, je voyais des noms d'enchantement du style **« Émousse-Lame »**, **« Fragilité »**, **« Vulnérabilité »**.

– Émousse-Lame **diminue** les dommages causés par une arme, a dit Alizée. Fragilité **diminue** la durabilité. Et Vulnérabilité **réduit** les dégâts que peut absorber une armure.

– Et celui-là ? j'ai demandé en lui tendant une épée en diamant enchantée avec **Déblocage V**.

– Réduit l'efficacité d'une arme à parer les coups. Je crois que le niveau V **la réduit de 100 %**. Donc, parer avec une telle arme ne réduira pas du tout les dommages **infligés**.

– **Waouh !** Je vaux carrément mieux que ça.

J'ai balancé l'épée derrière moi d'un geste **désinvolte** et j'ai attrapé une nouvelle épée. Celle-ci portait un enchantement de **Vide-Vie III**.

– Et ça ? j'ai demandé.

– Vide-Vie ? Je crois que tu prends **des dégâts au fil du temps**.

– Par le **Nether** !

J'ai lâché l'épée comme s'il s'agissait d'un mini-creeper sur le point d'exploser.

– Et **ne touche pas** celle-ci ! a dit Alizée.

Elle m'a montré une épée en fer avec son pied. Celle-ci possédait **un sort d'Accroche** II.

– Si tu t'équipes avec du matos qui a de **l'Accroche**, tu ne peux **plus le retirer**, à part avec une potion spéciale.

– Ouais, j'ai compris, j'ai dit en jetant un regard **désespéré** autour de moi. C'est pour ça que les gens **abandonnent** ces objets ici. On est dans **une poubelle**.

– Pas vraiment, a dit Alizée. La plupart de ces objets peuvent servir aux gens qui n'ont rien du tout. Par exemple, une épée en fer avec Émousse-Lame est **toujours mieux** qu'une épée en bois.

– Oui, mais les trucs avec Accroche ? Et Vide-Vie ? Ou ce buisson mort ? **Des trolls ? Des rageux ?**

– Oui, sûrement.

Elle a survolé les objets du regard, s'est baissée et a ramassé **un collier**.

– **Cool.** On dirait qu'il y a des trucs à sauver, **malgré tout.**

Un collier, hein...

Comme les bracelets, les colliers font partie des **accessoires**. Plusieurs types d'accessoires peuvent être portés en même temps. C'est un peu comme **une seconde armure**. On peut par exemple porter une ceinture, deux bagues, deux bracelets et un collier.

L'effet n'était **pas très fort**. Le sort de **Régénération I,** lorsque appliqué à un bout d'armure ou à un accessoire, ne permet pas de **regagner** beaucoup de vie, vu qu'un niveau de Régénération ne vaut que 10 % du taux de régénération de base. Mais bon, **c'était gratuit**, et ça valait **mieux que rien**. Alizée a dû se dire la même chose, car elle s'est équipée de **la breloque des fées**, ou du moins l'a mise autour de son cou.

Après cette découverte, et sûrement parce que j'étais **un peu jaloux** de sa trouvaille, j'ai recommencé à fouiller dans les objets. J'avais **vraiment besoin** d'une armure.

– Fragilité III, Lenteur VI... **Oh !** Voilà un objet avec tous les mauvais sorts qui existent. Et ça... ça peut le faire.

J'ai ramassé **un plastron en fer**. Bizarrement, il avait été **renommé**, ou avait été généré avec ce nom : **Plastron Terni**. Il était couvert de rouille brune et **n'avait que Fardeau I** qui, selon Alizée, réduit la vitesse de **seulement 10 %**.

J'insiste sur le « **seulement** »
parce que tout le reste était **pire**.

J'ai fini avec une armure **assortie** et enchantée de **Fardeau I**, un pantalon et une paire de bottes, le tout **couvert de rouille**. Ensuite, j'ai examiné les boucliers. Le meilleur avait **Déblocage I** : ça voulait dire **– 20 % d'efficacité**. Il y avait **pire**. Il y avait même pire sur le même bouclier : il portait à l'avant **un emblème de hibou**. C'était pas vraiment intimidant. Comment étais-je censé **effrayer** des monstres avec un gros hibou sur mon bouclier ?

– **Tant pis**, je me suis murmuré à moi-même avant de l'équiper.

Pour finir, j'ai choisi un chapeau gris avec une plume blanche pour remplacer le... **truc rouge et violet** que je portais. *Chapeau moisi*, quel nom ! Malgré tout, il me donnait **un genre**, la plume blanche soulignait bien les accents grisés de mon armure, ils formaient un fondu de couleurs exquis, **très subtil**. Et les parties couvertes de **moisissure** faisaient ressortir **le vert** dans mes yeux. **Nan**, je plaisante. Vous pensez que c'est une chronique pour **Village Match** ou quoi ? Moi, j'avais simplement envie **des bonus**.

Attendez un peu... **Résistance I**, qu'est-ce que c'est ?

Alizée l'a **remarqué**, elle aussi.

– **Jolie trouvaille**. Chaque niveau de Résistance réduit de **5 %** les dégâts subis lors de **coups critiques**.

– Tu parles des dégâts que **je subis ?**

– Oui. Ce n'est **pas** un mauvais sort.

– Merci, **maîtresse**.

J'étais **content** de l'apprendre, et je me suis observé des pieds à la tête.

J'avais l'impression d'être **un vrai guerrier**.
Pas de **très haut niveau** encore,
mais **un guerrier** quand même.

PLASTRON TERNI
ARMURE +4
FARDEAU I

ÉPÉE EN DIAMANT
VITESSE D'ATTAQUE 1,6
ATTAQUE 7
INCASSABLE I

CHAPEAU MOISI
ARMURE +1
RÉSISTANCE I

VOILE DU VICTORIEUX
+1
AMÉLIORATION INCONNUE

JAMBIÈRES TERNIES
ARMURE +4
FARDEAU I

BOTTES TERNIES
ARMURE +2
FARDEAU I

BOUCLIER DE LA TRAVÉE DU HIBOU
ARMURE +1
DÉBLOCAGE I

ACCROCHEZ-VOUS,
LES MONSTRES !

Alizée a **ricané**.

– Si ton bouclier était **rouge**, tu pourrais te faire passer pour **un Légionnaire**.

– **Ah ouais** ? C'est dommage parce que je ne pourrai pas en faire partie.

– **Pourquoi** ?

– J'ai demandé à Kolb **cinq fois.** Et à Kaeleb. Et à Obsicool. Tout le monde m'a parlé de **critères très précis** pour devenir un membre de **la Légion**. Déjà, il faut être **humain**.

– Peut-être qu'ils **changeront d'avis** ?

– Peut-être.

J'ai examiné les objets une nouvelle fois. Alizée a ramassé une ceinture faite de **cubes en fer**. C'était le seul **accessoire** qui possédait des **enchantements positifs**. Les autres contenaient des mauvais sorts ou rien du tout, du coup ils n'avaient pas un **grand intérêt**, juste du **style**. Elle m'a tendu **la ceinture**.

– Tu la veux ?

– Non, **c'est bon**. Et tu as besoin d'armure, toi aussi.

Après un **hochement** de tête, elle a noué la ceinture autour de sa taille.

– **OK**, c'est bon pour moi aussi. **Oh** !

Elle a trouvé **un diadème vert** et l'a posé sur sa tête.

– **Voilà.** De quoi j'ai l'air ?

ÉPÉE EN ÉMERAUDE
VITESSE D'ATTAQUE +1,5
INCASSABLE I

DIADÈME DE LIERRE
ARMURE +1
RÉGÉNÉRATION I

ÉPÉE EN DIAMANT
VITESSE D'ATTAQUE +1,6
ATTAQUE +7
INCASSABLE I

TUNIQUE DE LA NUIT
ARMURE +3
DISCRÉTION I
VITESSE I
ÉPINEUX II

FLÈCHE D'ÉPUISEMENT
DURÉE : 30 SEC.

JUPE DE LA NUIT
ARMURE +2
DISCRÉTION I
VITESSE I

BRELOQUE DES FÉES
RÉGÉNÉRATION I

BOTTES DU ZÉPHYR
ARMURE +2
SAUT I
DISCRÉTION I
VITESSE II
CHUTE AMORTIE I

CEINTURE EN OPALE
ARMURE +1
RÉSISTANCE AU FEU I

VOILE DU VICTORIEUX
+1
AMÉLIORATION INCONNUE

Ces bottes sont trop classes. Il faut vraiment que je marchande avec Kaeleb à mon retour.

– Magnifique, j'ai dit. Une vraie donjonnière.

Bien entendu, en tant que novice, toutes ces stats peuvent donner le tournis. Mais l'œil de quelqu'un d'expérimenté pourra comprendre le langage utilisé, qui signifie :

J'ai sacrifié ma vitesse d'attaque pour une meilleure défense. Mon bouclier peut résister à la plupart des attaques frontales, jusqu'aux plus fortes. En gros, je m'étais équipé pour être en première ligne. Un mur. Et même avec une réduction de 10 % de ma vitesse d'attaque, mon épée était toujours efficace.

Alizée avait choisi une autre stratégie : plus mobile. Blessée, elle pourrait se retirer du combat et se servir de son arc le temps de régénérer de la vie. Et ses flèches d'épuisement s'occuperaient des gros monstres qui pourraient s'approcher. En plus, ces derniers me feraient deux fois moins mal grâce à mon armure.

– On dirait qu'il n'y a que des poisons parmi les potions, a dit Alizée. Les trolls ont fait du bon boulot. Mais elles ne sont pas inutiles. On pourrait les transformer en potions jetables. Il suffit d'obtenir de la poudre à canon.

– Bonne idée, j'ai dit en l'aidant à collecter les bouteilles.

Si **Émeraude** était là, je sais ce qu'elle dirait. Elle proposerait d'essayer de vendre tous ces trucs, **une émeraude pièce**.

– Je pense que personne ne les achèterait, même pour une émeraude. Et qui sait ce qui nous arriverait si on **nous attrapait ?** Je suis quasiment sûre que cette fosse à dons n'est pas là pour être **pillée**. En plus, ce n'est pas ce qu'elle dirait.

– **Oh ?** Et qu'est-ce qu'elle dirait ?

– Elle dirait qu'il est temps de **faire du shopping**. Et elle nous montrerait ça.

Alizée m'a tendu **un stack d'émeraudes**.

– D'où est-ce que ça vient ?!

– J'ai demandé **un prêt** à Émeraude. Je n'ai pas dit pourquoi, par contre.

– **Et elle a accepté ?** Elle t'en a donné combien ?

– **150**. Et Kolb m'en a donné **100 autres**. Je sais qu'il a dû vendre la plupart de ses biens, et **son autre cheval**.

Quoiiiii ?! Son autre cheval ?!

Oh, **ça pue ! Ça pue vraiment !** Kolb va être super en colère. Je ne veux plus rentrer ! Bon, il doit y avoir une solution. **Réfléchis. Réfléchis !**

Je pourrais lui acheter un nouveau cheval… **Ouais !** Et quand il me demandera pourquoi **« Prairie »** n'a plus la même tête, je lui dirai qu'il a… **euh…** une fourrure enchantée ! **Ouais, je suis génial** !

— Allez, viens, a dit Alizée.

Elle se tenait dans l'embrasure de la porte.

— Au risque de ressembler à Émeraude, je dois avouer que… **faire du shopping a l'air marrant.**

JOUR 7
VENDREDI - MÀJ IX

Une musique **énergique étrange** provenait d'un juke-box dans le coin de la pièce. Il y avait tellement d'objets enchantés derrière le comptoir que **le mur brillait**.

Moomoo, le nain commerçant, a affiché un grand **sourire**. Il nous a dit une phrase qui semblait tout droit sortie du **manuel du marchand** :

– Allez-y, **faites-vous plaisir** !

Suivie d'une autre :

– Quelque chose qui **vous tente ?**

Je vous jure... Comme si on allait refuser quoi que ce soit sur ce mur. Il y avait une épée en diamant avec **Incassable V**. Un plastron **en or** avec tellement d'enchantements **qu'il valait plus** qu'un plastron en diamant. **Une laisse** pour monstres. Un lit qui donnait **un bonus** pendant une journée entière. Et même **un pseudo enchanté**.

Mon œil a été attiré par un objet **plus qu'ordinaire**. Il s'agissait d'une **potion de Soin I**. Il faudrait en acheter **plein**. Malheureusement, ne possédant que **582 émeraudes** à nous deux et chaque potion en coûtant **25...**

– 25 émeraudes... j'ai murmuré. Elles coûtent **5 émeraudes** au village.

– On devrait peut-être aller ailleurs, a dit Alizée.

Elle l'a dit fort, pour que le marchand **nous entende**. J'ai **joué** le jeu :

– C'est **vrai**. L'autre gars vendait ses potions à **15 émeraudes**.

– **C'était pas 10 ?** Ou 9 peut-être...

Elle a penché la tête d'un air **pensif**, un doigt posé sur son menton. Ce **Moomoo** devait sûrement **suer des larmes de ghast**. Il n'avait pas l'air très **nerveux**. Mais il devait faire semblant. Parce que deux pros en marchandage venaient de poser les pieds dans son magasin. Mais bon voilà, il ne faisait pas semblant. Il **souriait** même.

— Je crois que **vous vous trompez**, tous les deux. Les principaux magasins de la Travée du Hibou suivent **l'Index Aetherien** : une liste compilée dans la capitale chaque année et qui sert de ligne directrice **très stricte** pour déterminer **le prix d'un objet**. Du coup, vous trouverez les mêmes ordres de prix **partout** ici. Bien entendu, vous êtes libres de visiter nos belles boutiques par vous-mêmes. Vous réaliserez que **j'ai raison**.

Alizée et moi avons échangé un regard. Ma tête devait être un mélange entre « Qu'est-ce qu'il vient de dire ? » et **« Ça veut dire qu'on peut pas le faire marcher, pas vrai ? »**.

Sa tête disait : « **T'inquiète**, je gère. »

— Nous prendrons **15 bouteilles**, elle a dit en me faisant un clin d'œil.

Elles coûtaient **1 émeraude chacune**.

Un léger **hochement** de tête, et Moomoo a sorti les bouteilles d'un coffre de l'Ender sur le comptoir.

— Autre chose, **ma p'tite dame ?**

— **Des verrues du Nether**. Même nombre.

3 émeraudes la verrue. J'ai **compris** ce qu'elle était en train de faire. La verrue du Nether servait à faire des potions **basiques**. Les potions basiques servaient à faire ensuite toutes les autres sortes de potions.

On allait préparer **nos propres** potions et économiser des émeraudes. Même sans le rouler, Alizée avait trouvé un moyen d'éviter les prix **ridicules** de ce nain.

Il s'en est rendu compte, lui aussi.

– Je suppose que vous aurez besoin de **melons** et de **pépites d'or**, vu que ce sont les ingrédients d'une potion de soin. **C'est dommage**, je n'en ai plus. J'ai dû recevoir la visite de **plein d'aventuriers** ces temps-ci, qui font leurs propres potions. **C'est bizarre...**

– Où peut-on en trouver ? a demandé Alizée.

On a eu droit à **un autre sourire** de Moomoo.

– Vous feriez mieux de demander à d'autres aventuriers. Il y en a sûrement qui ont des ingrédients **en trop** et cherchent à les vendre. Essayez une auberge. Il y en a une juste là, dans la rue. **Le Dragon Enchanté**. Impossible à louper.

– Merci beaucoup, a dit Alizée. Oh, et nous aurions besoin de **poudre à canon** aussi.

Elle a répondu à ma question avant que je n'aie le temps de la poser.

– On peut se servir de la poudre à canon pour fabriquer **des potions jetables**, tu te souviens ?

– Tu veux dire qu'en les jetant... on pourra **se soigner tous les deux** en **même temps ?**

Elle a hoché la tête.

– **Oui**, si on est suffisamment proches l'un de l'autre. On les jette à nos pieds, **et voilà.** En plus, c'est **plus rapide** que de les boire. Et je crois que l'effet de ces potions **fait du mal** aux monstres alentour. Tout ce qu'il nous faut, c'est un peu de **poudre à canon.**

– **Incroyable**, j'ai dit. Mais je ne me souviens pas en avoir entendu parler en cours. C'est **ton père** qui t'a appris tout ça ?

– **Non. Lola.**

– J'aurais dû m'en douter.

Merci, Lola. Même si tu n'es pas là, c'est comme si...

J'ai refait **les calculs** avec Alizée. Si on voulait préparer **15 potions de soin jetables**, il nous fallait **15 bouteilles** à 1 ♦, **15 verrues du Nether** à 3 ♦ et **15 poignées de poudre à canon**, également à 3 ♦ chacune.

15 ♦ + 45 ♦ + 45 ♦... **Ça fait 105 ♦.**

Le marchand nous a dit qu'une **pépite d'or** valait en moyenne 2 ♦ et qu'une **tranche de melon** coûtait 1 ♦. On avait besoin de 8 pépites et d'une tranche de melon par potion.

En gros, on a calculé qu'il nous faudrait environ **360 ♦** pour 15 potions de soin. **Sinon**, on pouvait payer 375 ♦ pour acheter des potions **toutes prêtes**, et sans qu'elles soient jetables.

– **Tope là !** j'ai dit à Alizée.

Le nain n'avait **pas l'air content**.

– **Oui, OUI**, vous pouvez fabriquer vos propres potions, et vous économiserez quelques émeraudes. Mais je peux vous faire économiser quelque chose de **plus précieux** encore : de **l'énergie** et du **temps**. Vous êtes **fatigués**, ça se voit. Pourquoi vous compliquer la vie ? Achetez mes potions, et passez **une soirée tranquille**.

Il a **tapoté** ses coffres de l'Ender.

– J'en ai 3 stacks, là-dedans.

– **Non merci**, j'ai dit. **C'est bon.**

– Il nous restera **au moins 200 émeraudes**, a dit Alizée. Besoin d'autre chose ?

– **Ce bracelet ?** j'ai demandé. 55 ♦ seulement.

Il s'agissait d'un bracelet en fer enchanté avec **Régénération I**.

Alizée a montré **un bracelet en pierre**.

– Et celui-ci ? Il donne un point de **protection**.

– Mmm... et il est un peu moins cher. C'est quoi le mieux ? Régénération I ou un point d'armure ?

– Je ne sais pas...

– Et pour toi, alors ? Regarde cette bague avec Vitesse I. Elle coûte 150 ♦, mais on a plein d'émeraudes, pas vrai ?

Alizée avait l'air perdue dans ses pensées.

– Elle est pas mal, mais je préfère celle-là.

Elle a montré une bague en bois avec Force I, à 75 ♦. Elle causera un peu plus de dégâts avec une telle bague au doigt.

– Oh, mais celle-ci a Vitesse et Force. Mais elle coûte 150 ♦.

– C'est pas grave, je prendrai le bracelet en pierre.

– Non, je ne peux pas faire ça, mon équipement est déjà meilleur que le tien.

– Alors, on dépensera autant d'émeraudes. 100 chacun ?

– Ouais, a dit Alizée avec un sourire.

Je me suis rendu compte qu'on ne pouvait pas se prétendre aventurier avant d'avoir fait l'expérience du shopping. Compter ses émeraudes. Comment les dépenser ? Quelle est la meilleure affaire ? Cet objet est intéressant, mais est-il plus intéressant que celui-ci ?

Et ça ? Et ça ? Un objet coûte tant, mais il est **meilleur** que celui-ci, mais avec celui-ci on peut **en acheter deux** de celui-là...

– HmMm...

Le choix était **difficile**. La quête éternelle de **l'équipement parfait**. Une épée qui frappe **légèrement** plus fort que celle qu'on a, ou ces quelques points d'armure qui manquent. Ou alors quelques potions qui permettront d'avoir **l'avantage** pour le prochain combat. Peu importe le prix, vous voulez **ce petit plus**...

Le nain continuait de **sourire** pendant qu'on débattait des achats et qu'on discutait et qu'on blaguait et qu'on calculait. Il continuait de sourire en nous proposant **d'autres biens**, et le juke-box débitait cette **musique étrange**... J'apprendrai plus tard qu'il s'agissait de **8-bit**.

Ce genre d'expérience **est précieux** pour un aventurier. Ces petits moments **d'innocence**, où il fait bon être **un noob**.

Ça **m'est égal** d'en être un.
Tant **qu'elle** est à mes côtés.

«C'était un plaisir
de vous...»
BAGUE
EN PIERRE
ACCESSOIRE
ARMURE +1
«Ah, et on prendra
aussi cette bague
en bois.»
«C'était un plaisir...»
BAGUE
EN BOIS
ACCESSOIRE
FORCE +1
«Et ce bracelet
en fer.»

«C'...»
BRACELET EN FER
ACCESSOIRE
RÉGÉNÉRATION +1
«Et n'oubliez pas nos ingrédients !»

«... Revenez quand vous voulez.»

— Et passez à **l'auberge** que je vous ai **indiquée**, a dit le nain. Certaines chambres ont **des alambics.**

— Et **des chaudrons ?** a demandé Alizée. Des seaux ? Des fourneaux ? Je donnerais n'importe quoi contre **un bain chaud.**

— **Bien sûr,** a-t-il dit un peu pris de court. **Le Dragon Enchanté** est l'une des **meilleures** auberges du monde. Pensez à goûter au **mouton.** C'est comme s'il était enchanté avec **Goût VII.**

— On n'y manquera pas, elle a dit.

D'un geste, elle a ramassé les trois piles d'ingrédients, a **perdu l'équilibre** et a failli me tomber dessus.

JOUR 7
VENDREDI - MÀJ X

On est restés devant cet endroit **noir de monde**, juste après le coucher du soleil. L'auberge était un **immense** bâtiment fait de chêne, de chêne sombre, d'épicéa, de pierres, et renforcé par de l'argile blanche. Des panneaux de **pierre lumineuse** laissaient apercevoir de nombreuses silhouettes de clients **ravis** et **une joyeuse** mélodie médiévale parvenait à nos oreilles.

Le Dragon Enchanté.

C'était l'endroit **parfait** pour les aventuriers et les noobs, et nous avons **doucement** franchi ses portes. **Enfin...** nous avons peiné à franchir ses portes. Ça avait été une longue journée. Visez un peu **le nombre de mises à jour.**

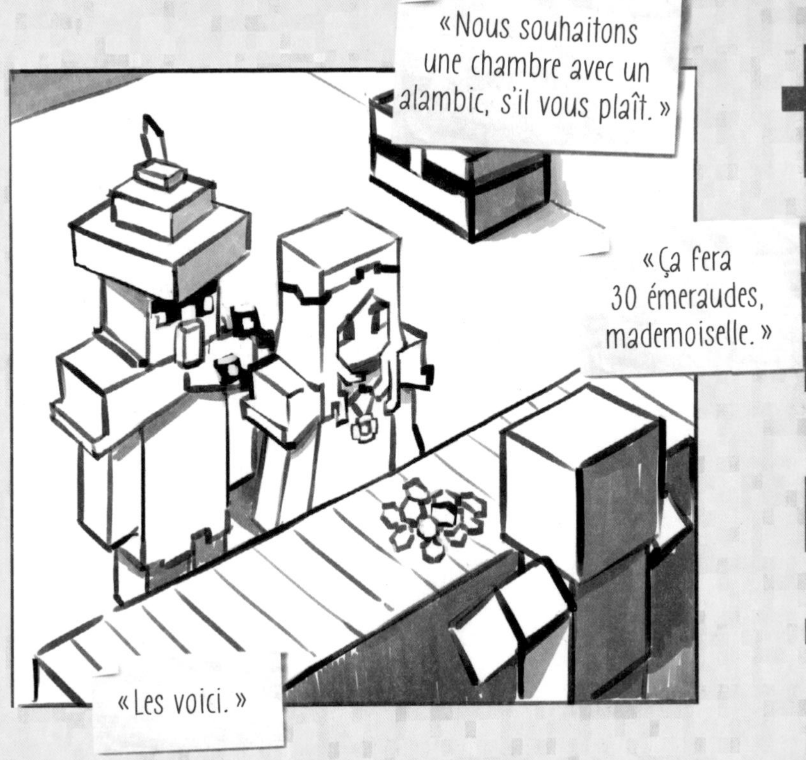

Ah oui ! Une auberge. Personne ne devrait **oser** se faire appeler aventurier avant d'avoir visité l'un de ces lieux de rassemblement **mythiques**. Je n'oublierai jamais la première fois que j'y ai mis les pieds.

Wouf, la fumée venant des torches **vous frappe** en premier, ensuite l'odeur du mouton en train de **griller** sur le fourneau, puis le son de **plus de 200 voix**, qui prenait le dessus sur tout le reste. Des gens **partout**, qui riaient à **gorge déployée**, avec des cheveux **colorés** et de **longues** oreilles, ou des casques et des chapeaux de sorcier, ou des barbes **gigantesques** couvrant des bouches remplies de dents **jaunâtres**.

Il y avait dans le fond, parmi des figures **mystérieuses cagoulées** sirotant tranquillement leurs boissons enchantées, **un homme bizarre** qui gravait quelque chose sur la table, probablement un solitaire ou un chasseur de trésors. Et plus loin une humaine, **une elfe** et une fille à l'allure **humaine**, mais avec des oreilles de **renard** et une queue rousse touffue, qui dansaient à côté **d'un chœur de cochons-zombies**. L'un d'entre eux jouait d'un **instrument** à cordes **étrange** et de chaque côté se trouvait un groupe de chevaliers en armure qui les **encourageaient**, en levant leurs chopes et en **trinquant**...

Voici mes **premières secondes** au sein d'une auberge, tout ceci m'a frappé au visage comme si je venais d'entrer **dans un mur**. Même chose pour Alizée. Elle avait l'air **bouleversée**. On s'est dirigés vers une table, **on s'est assis**, prêts à commander de la nourriture chaude. Nos sens déjà **saturés** avaient encore plus de mal avec **l'accoutrement** de la serveuse.

– Prêts à **commander** ?

– Je vais prendre **le mouton**, a dit Alizée. Et une pomme de terre au four. **Non**, deux pommes de terre au four, **s'il vous plaît.** Et une miche de pain.

La serveuse a posé **légèrement** sa main sur son épaule.

– Grosse journée, **hein ?**

Après avoir aperçu **nos épées**, elle a continué :

– Ah, je reconnais **des chasseurs de trésor** à coup sûr. Chanceux ?

– **Pas vraiment...** Je prendrai la même chose qu'elle et...

J'ai regardé en direction de deux humains habillés en cuir. Entre deux salves de rires, je les voyais **siroter des potions**.

– Qu'est-ce qu'ils boivent ?

– Une des **meilleures** potions du coin, a dit la serveuse avec un sourire. Le Noob Rageux.

– **Le Noob Rageux ?**

– **Meilleure** potion **au monde**. Et elle vous redonnera du **peps**.

Un jeune homme nous a donné **la recette**. Un chasseur de trésor, comme vous, mais il était **différent**. Plutôt du genre voyageur **mystérieux** venu d'une contrée lointaine... **Bref**, il l'a appelée boisson **énergisante**, et c'est une potion qu'ils boivent en... **enfin**, d'où il vient.

*Elle doit parler de... **mais oui, bien sûr**.* J'ai souri à la serveuse.

– J'en prendrai une, j'ai dit.

– **Moi aussi**, a dit Alizée.

Cette potion était **vraiment géniale**. Elle avait **meilleur goût** qu'un jus de melon… **Et cette énergie !!** C'était comme boire une potion de Saut, de Vitesse et de Force, tout **en même temps**.

Je voulais en commander une autre direct après avoir bu la première.

– Je ne vous le conseille pas, a dit la serveuse. Si vous en buvez **trop**, vous vous **endormirez immédiatement** quand son effet prendra fin. **« Surcharge »**, qu'ils disent.

– J'aime vivre **dangereusement**, j'ai dit.

– Comme vous voulez, monsieur.

La serveuse a chuchoté à Alizée :

– Mais pour votre **information**, il va s'écrouler dans **une heure** très exactement.

Après notre repas, **les bouteilles vides** nous ont rappelé qu'il fallait maintenant qu'on trouve des **ingrédients**. Suivant les instructions du vendeur de tout à l'heure, on s'est déplacés de table en table, pour voir si **par hasard** quelqu'un aurait des melons ou des pépites d'or à **échanger**. On a eu **de la chance**, et une elfe aux cheveux bleus, accompagnée d'un garçon-loup *(quel couple étrange)*, avait **exactement** ce qu'on cherchait.

Quelqu'un d'autre avait **une poignée de poudre de blaze** dont on avait justement besoin pour **alimenter** notre alambic. Il nous restait que 15 émeraudes, donc on a décidé **d'arrêter** les frais.

Alors qu'on s'approchait de la chambre, la **serveuse** est venue vers nous. Elle a regardé **autour** d'elle avant de parler à voix basse. J'avais du mal à l'entendre à cause du **bruit ambiant.**

– Si vous êtes **vraiment** des chasseurs de trésor... vous pourriez **me rendre un service ?**

– Quel genre de **service ?** j'ai demandé.

– Ben, j'ai toujours **rêvé** d'avoir un collier. **Un joli collier**, vous voyez ? Je voulais en crafter un moi-même, mais il me faut absolument **une opale des glaces**. C'est ma pierre précieuse favorite. Si vous en trouvez une, pourriez-vous **me l'apporter ?** Je n'ai pas beaucoup d'émeraudes à vous proposer, mais **j'ai ça...** créés il y a bien **longtemps**. Tellement longtemps que **plus personne** ne sait vraiment comment ça s'appelle. Certains pensent qu'il s'agissait de la **monnaie de l'époque**. Maintenant, on les appelle des **jetons de quête**, car c'est généralement ce que donne **le roi** à ceux qui terminent leur mission.

– Donc, c'est un peu comme **de la monnaie ?** a demandé Alizée.

— En quelque sorte. **Suivez-moi**, je vais vous montrer.

Elle nous a emmenés au **sous-sol**, vers une porte en épicéa entourée de **plein de panneaux.**

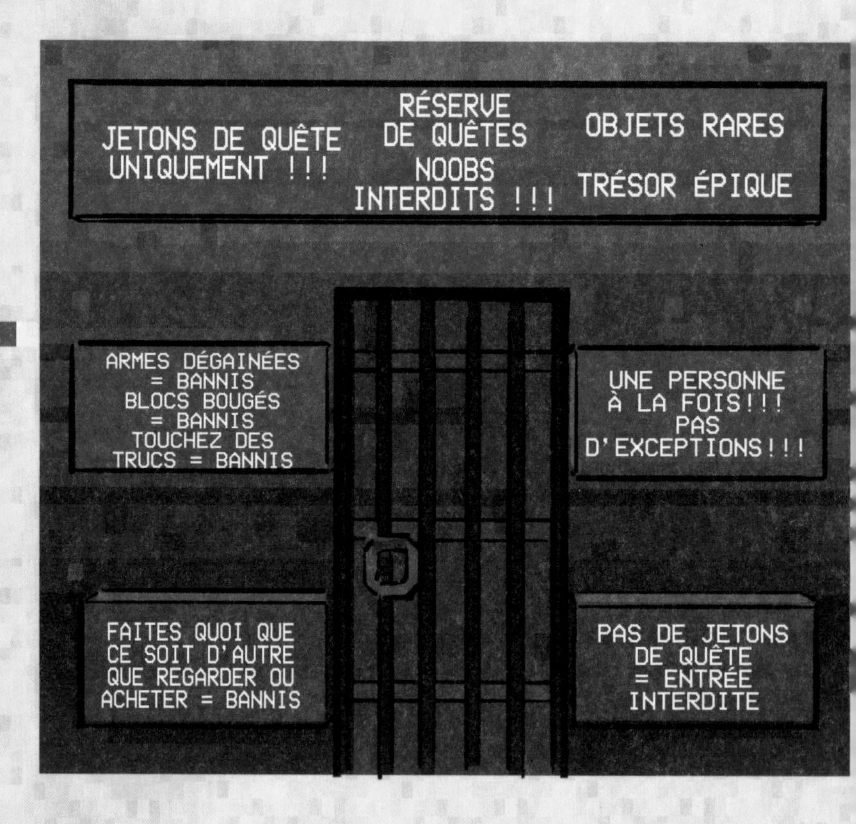

On s'est **approchés**, et deux gardes habillés d'armures **en obsidienne** se sont **précipités** pour nous barrer la route, **sans rien dire**.

– Voici le **Magasin des Quêtes**, a dit la serveuse. Il y en a plusieurs au sein d'Ardenvell. Ici, vous trouverez **des objets uniques** que le roi a offerts **en récompense**.

J'étais **émerveillé**, presque autant que je l'avais été en mettant les pieds à la Travée du Hibou. Il fallait que j'entre, **il le fallait** ! Mais ces gardes ne bougeaient pas d'un pouce. Je leur ai demandé si je pouvais **jeter un coup d'œil** à l'intérieur, mais ils ne m'ont pas répondu.

La serveuse m'a **attrapé** l'épaule.

– Je vous le **déconseille**. Vous pourriez **vous faire bannir**. Pour **toujours**. Si vous voulez y acheter des choses, il faut leur montrer que vous possédez **des jetons**.

– Donc, vous venez de nous proposer **une quête**, j'ai dit.

– **Oui**, si on veut... Mais ça a l'air si **sérieux**, dit comme ça. Je ne suis pas le roi, **rien** qu'une serveuse...

– On fera **de notre mieux**, a dit Alizée.

Avoir trouvé une quête était certes **génial**, mais on était **épuisés**. Nous avons dit au revoir à la serveuse et nous sommes montés **voir notre chambre**.

Notre chambre était cool. Surtout quand on pense aux endroits où j'ai dû dormir depuis que j'ai quitté Bourg-Village.

Avant de commencer à **préparer les potions**, on est allés aux bains-douches. On y avait **notre propre** chaudron de 3 blocs de large, les blocs du dessous contenant **la lave** qui **réchauffait** l'eau. Vu qu'on est plus au nord, il fait **plus froid**, surtout la nuit. **Franchement**, je ne m'imagine pas comment les zombies arrivent à **survivre**. Ils doivent avoir un sort de **Protection du Froid** sur leurs vêtements.

Oui, une salle de bains pour **moi tout seul.** Il y avait des bains-douches publics, mais ils étaient remplis de cochons-zombies et de nains. Donc, on s'est enfuis et on a **réservé une salle** pour **20 émeraudes**. Et l'eau n'est **pas si chaude que ça**. Je ne suis pas une pomme de terre, tout de même !

On est **retournés** dans notre chambre. J'ai posé à Alizée une question qui me turlupinait depuis ce combat avec les cochons-zombies.

– Alizée ? Comment tu as fait pour te battre **avec deux** épées ?

Silence. À nouveau, cette expression **sombre**. Elle ne voulait pas me révéler son **vilain** petit secret.

– Ton père a dû te **l'apprendre**. C'est sûr. Je l'ai vu faire pareil, une fois. Pendant **l'assaut de la muraille**.

Elle s'est tournée vers le fourneau qui crépitait.

– C'est... **un don**.

– **Un don ?** De quoi tu parles ?

– Tu vois... comment un enderman **se téléporte ?** Ou comment un ghast **crache du feu** ou comment une araignée **grimpe au mur ?** Ben, certaines personnes ont des **aptitudes** particulières. Parfois **magiques**, ou **physiques**, comme la capacité de tenir deux épées. Elles sont plus ou moins **complexes**. Plus ou moins faciles à apprendre, ou à maîtriser. Certaines... **impossibles**.

– Ça veut dire que tu peux **m'apprendre** ?!

– Je peux **t'entraîner**. Comme mon père l'a fait. Ça prendrait **20 minutes**, à peu près.

– **20 minutes** ?! T'es **sérieuse** ?! Pourquoi tu ne m'en as pas parlé **avant** ?!

Elle a **haussé** les épaules.

– Ça m'est **sorti de la tête**. Mon père ne m'a montré que récemment comment faire. Et il **ne voulait pas** que j'en parle. Il a dit que la plupart d'entre nous ne sont **pas prêts**.

– **Je suis prêt ! Méga prêt !** Je serai un élève modèle ! **Promis !**

– Il faut que tu **réalises** une chose. Tu ne peux apprendre qu'un certain nombre d'aptitudes. Si je te montre comment te battre avec deux épées et que tu as l'occasion d'apprendre **autre chose** plus tard, il se peut que tu n'en sois **plus capable**.

– Pourquoi ?

– Parce qu'apprendre demande **de l'expérience**.

– **Ah**, je vois. Mais... comment ça marche ?

– Imaginons que tu rencontres quelqu'un sur la route qui a d'autres aptitudes que toi, il pourra t'en apprendre **de nouvelles**. Si l'on en croit mon père, il y a **plus d'un millier** d'aptitudes différentes. Certaines **meilleures** que d'autres. La plupart sont **banales** et connues à travers l'Overworld. Mais les meilleures sont **rares**, et **prisées**, et elles ne peuvent s'apprendre qu'avec **un ermite** vivant seul au sommet d'une montagne, ou **une nymphe**, ou **une fée** quelque part dans une grotte secrète, ou avec **un sorcier** en haut d'une tour gigantesque. **Voilà.** Mon père m'a dit qu'il existe même des objets qui peuvent donner des aptitudes. **Souvent des grimoires.**

– **Intéressant...** Bon, j'y ai pas mal réfléchi, et maintenant **je suis prêt**. Maîtresse, apprenez-moi à tenir deux épées. **Euh...** entraînez-moi, je veux dire.

– **Sûr ?**

– **À 100 %.**

Alizée m'a donc **appris** à me battre avec deux épées. D'abord, on a utilisé deux bâtons, **c'était moins dangereux**. Un peu de temps et pas mal de **frustration** plus tard, j'arrivais à manier deux bâtons en même temps.

J'ai brandi mes deux **« armes »** en criant de joie.

– **Ouais !!!!**

Elle m'a applaudi.

– **Oh !** Plus tu utilises une aptitude, et **plus elle s'améliore**. Donc, tu y arriveras beaucoup mieux le temps qu'on arrive au donjon.

– Mais peut-être que je devrais **éviter** les deux épées et garder mon bouclier, **non ?**

– Parfois, tu auras besoin de faire **plus de dégâts**. C'est là que deux épées seront **utiles**.

– **Tu as raison.** Si j'ai besoin de me défendre, je peux porter mon bouclier, sinon je tiendrai une épée à la place. Comme ça, je m'adapte à toutes les situations. Un peu comme Batman.

– C'est qui **Batman** ?

– **Un type** dont m'a parlé Kaeleb. Il peut faire plein de **trucs cool** pour se sortir de toutes sortes de situations, genre... jeter des bombes **fumigènes** pour s'échapper, ou utiliser ce qu'on appelle **un grappin**, ou... **parer** des flèches **avec sa cape**, ou **voler** avec sa cape, et... **et...** pourquoi est-ce que je continue à parler, alors que ça ne t'intéresse pas du tout ?

– **Euh...** a dit Alizée. Je sais qu'on cherche à l'éviter, mais il faut vraiment **qu'on bosse** sur ces potions.

– C'est vrai, **allons-y**. Je me sens en pleine forme après avoir bu toutes ces boissons **énergisantes**, alors je vais sûrement en préparer plein sur notre petit lambic. **Un million**. Au moins **un million**.

– C'est un alambic.

– Ouais... Et comment on prépare **ces melons dorés** déjà ?

Autant dire **tout de suite** que je n'ai pas fait un million de potions. Je n'en ai même pas préparé une seule. **Mais presque**. J'ai mis une potion de base en place, j'y ai mis un des melons dorés d'Alizée, mais **euh...**

j'ai vraiment eu une **longue journée**

vous **comprenez** ?

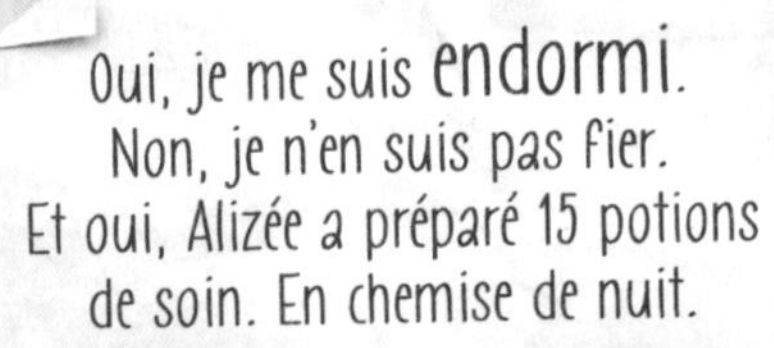

Alors comme ça, la serveuse ***avait raison !*** *Une heure plus tard précisément, je suis tombé comme une enclume...* ***En tout cas, désolé, Alizée !***

JOUR 8
SAMEDI

Il faisait **toujours nuit** quand on est partis.

Un **magnifique** lever de soleil prenait place derrière nous alors qu'on se dirigeait vers le sud-ouest. On s'est arrêtés pour **l'admirer**.

Je n'avais pas remarqué toutes ces fleurs. **Des fleurs**, à perte de vue.

– **Des roses**, a dit Alizée en descendant du cheval. Elles ne sont pas très **courantes** dans le nord. Ce doit être un champ de fleurs. C'est un des biomes **les plus rares**, je crois. Je pense que c'est un bon signe.

Elle s'est tournée vers moi et m'a demandé :

– Tu crois en **ce genre** de choses ?

– Vu où on va... j'ai envie de **croire en tout**, tant que ça me donne de **meilleures chances** contre les zombies.

On a marché dans le champ **tous les deux** et on s'est arrêtés quand le soleil est apparu derrière l'horizon. **On ne disait rien**.

J'ai l'impression qu'on est restés **très longtemps** comme ça. Je ne savais pas à quoi elle pensait, et je n'aurais pas pu le **deviner**, mais c'était évident qu'elle **réfléchissait à quelque chose**.

– Kolb m'a dit **plein de choses** avant que je parte, a dit Alizée.

– Comme quoi ?

– Il m'a dit que notre monde était en fait un **« serveur »**. Un serveur de **Minecraft** appelé Aetheria. Et que tout ce qu'on peut voir a été **imaginé** par des joueurs et ajouté **au fil du temps**, au fil des mises à jour, des modifications, et que toutes les **structures** ont été additionnées et intégrées à travers **une interface**. Et un jour, ce monde est devenu notre monde. **Réel**, plus qu'un jeu vidéo…

– Et tu y crois à tout ça ?

– Je n'en ai pas envie, **évidemment**. C'est plus **rassurant** de se dire qu'ils ont été **piégés** dans **notre** monde.

– Alizée, on sait tous les deux que **nous sommes bien plus** que des personnages de **jeu vidéo**. Et même si on l'était un jour, ce n'est plus le cas. **On existe**. C'est tout ce qui compte, **non ?**

Elle n'a rien répondu, mais j'ai vu qu'elle n'était pas **insensible** à ce que je venais de dire. J'avais aussi envie de **me croire**. Je me sentais plus **léger**, et j'ai reposé les yeux sur le paysage devant nous : la façon qu'avait la lumière de bondir **de fleur en fleur** et d'éclairer ces **millions** de pétales... Un jeu ne pouvait pas créer ça. Même si je ne comprenais pas tout à la **technologie** terrienne, je savais qu'une machine ne pouvait pas produire un monde comme le nôtre. Même si elle se trouvait être **mille fois plus complexe** qu'un réseau de redstone.

Alizée a **levé** une bouteille remplie d'eau. Elle **brillait** sous le soleil. À l'allure de la bouteille, on savait que c'était **une potion jetable**. Une potion jetable... **d'eau**.

– **Tiens**, elle m'a dit. Il me restait un peu de poudre à canon, alors j'en ai fait quelques-unes.

– Ça sert **à quoi ?**

– Elles créent **un jet d'eau** quand on les jette. Ça peut permettre d'éteindre **un incendie** ou de faire mal à des monstres qui sont **sensibles** à l'eau. Voilà un autre truc que j'ai appris de Lola.

– Je n'allais même pas poser la question, **c'était évident**.

Encore une fois, j'ai pensé : **Merci encore**, génie de la redstone...

JOUR 8
SAMEDI - MÀJ I

On se tenait au bord **d'une falaise** qui surplombait les plaines. Il était possible de voir **à l'infini** d'ici. À quelque mille blocs de là, l'étendue **vert émeraude** des plaines laissait place aux ocres de la **savane**. Ça s'appelle **une frontière**, lorsque deux biomes se touchent sur une ligne droite. Plus loin encore, l'herbe brune redevenait verte, mais avec des nuances différentes de celles des plaines. Elle était presque **bleue**. C'était un biome de **montagnes**, et l'herbe se transformait en marches montant vers **des cols grisâtres** couverts de neige. On pouvait admirer tout ceci sous un ciel bleu sans nuages, un bleu de **saphir**, tellement profond qu'on avait l'impression qu'on se perdrait dedans si on levait la tête trop longtemps.

Le paysage avait un défaut. Quelqu'un avait laissé un point **noir** sur ce tableau presque parfait... Là, au loin, perdu au milieu d'un million de blocs de couleurs variées, se trouvait **le Tombeau du Roi Oublié**.

Il était **impossible** de dire si cet endroit avait été créé par la main d'un humain à travers **l'interface électronique** perfectionnée d'une machine terrienne. Même d'ici, il paraissait **inquiétant**, éclairé par des torches de redstone, un agencement de blocs ternes et sombres d'obsidienne et de bedrock au milieu d'un paysage **verdoyant**.

– **On est arrivés**, a dit Alizée.

J'ai hoché la tête d'un air **absent** en sentant un frisson parcourir mon dos. On courait vers **l'inconnu**. On ignorait quels genres de **pièges** protégeaient le tombeau, combien de monstres il contenait, ou jusqu'où il descendait **sous terre**. Pour être tout à fait **honnête**, on nous avait parlé **d'énigmes**, et on ne savait même pas ce que c'était !

J'étais **terrifié** à l'idée de combattre **un autre boss**.

Alizée n'était pas dans le même état que moi. Elle s'est tournée vers moi avec **un sourire**. **A hoché la tête.**

– **Allons-y !**

JOUR 8
SAMEDI - MÀJ II

J'ai appris quelques trucs **à propos des donjons** aujourd'hui. Avant, je pensais qu'il s'agissait **d'une seule pièce** avec une poignée de monstres et **un ou deux coffres à trésor**. C'est ce que les profs nous avaient dit. Ainsi que tous les livres que j'ai lus. Donc, imaginez **ma surprise** quand j'en ai vu un pour la première fois.

Non, allez-y, imaginez.

Une pièce **toute bête**, qu'ils disaient. Pas plus grande que vos chambres à coucher, **qu'ils disaient.**

Ouais, eh ben, **ils se plantaient**. Un tout **petit** peu. C'est un peu comme dire que l'océan ne contient qu'un **tout petit peu d'eau**. *(Franchement, je sais que je suis censé avoir l'air sérieux, mais est-ce que je peux* **hurrger** *maintenant ?)*

Je vais être franc :
j'étais **mort** de peur.

J'ai bien aimé **le petit crâne** à côté de la porte. Il avait des yeux rouges lumineux. Je me suis tourné vers Alizée.

– J'ai l'impression que c'est **l'antre d'un wither-squelette**. Est-ce qu'on peut **laisser tomber ?** On dira simplement au forgeron qu'on a pas trouvé ce qu'il demandait...

– Et il nous donnera peut-être **une autre quête**, genre un concours du **plus gros mangeur** de tartes à la citrouille.

J'ai souri.

– **Quoi ?** Alizée qui fait **des blagues ?**

Elle m'a souri aussi, mais **ça n'a pas duré**. Passons aux choses **sérieuses**.

– Cet endroit est protégé, alors ? elle a demandé.

– C'est ce qu'un gars m'a dit. Il m'a parlé d'un **enchantement** couvrant le biome entier et **qui empêche de retirer** ou de **placer** des blocs.

– M'en veux pas, mais je vais vérifier qu'il dit vrai avant de **te croire**.

Elle a fabriqué **un bouton en bois** et a essayé de le placer sur la **bedrock** à gauche de la porte. **Il est tombé au sol.** Il n'avait pas adhéré au mur comme les autres boutons. **C'était...**

– **Impossible**, a dit Alizée.

L'air **décontenancé**, elle a essayé de placer le bouton sur un bloc de terre. **Même résultat.**

– Par l'Overworld...

De mon côté, je frappais les portes avec ma hache en pierre. Un coup, puis deux. **Au dixième**, elle est devenue rouge, puis... **s'est brisée en mille petits morceaux cubiques**. *(Elle s'est éteinte en un sifflement triste : « P'tiouuuuu... »)*

Pourtant, ma hache était presque **au max de sa durabilité**. Elle était passée de **95 % à 0 % en deux secondes**. J'ai regardé le petit cube brun dans ma main *(qui avait fait partie de la poignée)* et me suis écrié : **« Nom d'un Nether ! »**

Quand Alizée a essayé de **creuser** avec sa pelle en fer, il lui est arrivé la même chose. Sa pelle est devenue rouge et s'est **désintégrée**. **Peu impressionnée**, elle a regardé les débris sur le sol en disant simplement : « **Hurppmf !** » C'était la première fois que je l'entendais faire un son pareil, qui est pourtant un son **très répandu** chez les villageois lorsqu'ils s'énervent. Et ce que nous étions en train de vivre était **énervant**... et **incroyable**. Les boutons collaient toujours aux surfaces et une pelle creusait toujours un peu **avant de casser**, mais là... Vous imaginez bien qu'on n'a pas tenté de couper de l'herbe avec nos épées. **On savait ce qui allait leur arriver.**

– **Donc...** il va jusqu'où, cet enchantement ? a demandé Alizée. Il recouvre vraiment **tout le biome ?**

– Je pense, **oui**. Tout biome **contenant un donjon** est impossible à modifier. Sinon, **les trolls** et **les rageux** seraient capables d'installer **des murs en obsidienne**, **des pièges à TNT**, des **générateurs de monstres**, des douves **remplies de lave...** Les Ouvriers ne voulaient vraiment pas qu'on **gâche** leurs créations.

– Je vois.

Bon, par contre, il y avait **un enderman dans le potage**. Ou même un golem. Si vraiment **on ne pouvait rien déplacer** dans ce biome, cela voulait dire que :

1. Sans lit, ça allait être **compliqué de dormir**.
2. Nos astuces qui comptaient sur le terrain, comme les abris d'urgence ou les colonnes de terre… seraient **impossibles** à utiliser.
3. Mais le problème **le plus urgent** auquel je n'avais pas pensé *(mais Alizée, oui, évidemment)* : elle a essayé de placer **une barrière.** Comme prévu, celle-ci ne s'est pas plantée dans le sol, mais est **tombée immédiatement**.

– **Qu'est-ce qu'on va faire de Shybiss ?** elle a demandé.

Ah oui… Sans barrière, impossible **d'attacher** le cheval. Et si on le laissait tout seul dehors, il allait faire comme **Prairie** et **partir**. J'allais **hurrger**, je le sentais. **Eto** m'en avait parlé en plus, mais je n'avais pas idée de **tous les problèmes** que ça allait poser. J'ai failli suggérer **d'emmener Shybiss dans le donjon**, mais je n'osais pas imaginer la réaction d'Alizée. Heureusement, elle est **mille fois plus intelligente** que moi. Elle a décidé de faire **un tour du donjon**, et devinez ce qui se trouvait derrière ? Si vous vouliez dire **« Des barrières ! », bien vu !** Vous remportez **un million d'émeraudes** et **une peluche d'Urg le Barbare !**

Peu importe qui étaient ces gens,
ils étaient vraiment attentionnés. Ils ont
mis des barrières pour que les aventuriers
puissent attacher leurs montures. Par
contre, ils ont l'air d'avoir oublié les lits et
les marmites pleines de ragoût de lapin...

– Bon, **un problème de réglé**, a dit Alizée. Mais **à qui** sont ces chevaux ?

– **D'autres aventuriers ?** On les rencontrera peut-être à l'intérieur et on pourra s'entraider. Tu es prête ?

Je lui ai montré **la petite clé en obsidienne**. Je pourrais décrire sa réaction de manière **ultra-banale**, genre :

Elle a acquiescé. « Je suis prête », a-t-elle dit.

J'essaye d'être **un meilleur écrivain**, mais quand même. Elle a **acquiescé** ?! C'est d'un **ennui** ! Barrons ça tout de suite :

~~*Elle a acquiescé. « Je suis prête », a-t-elle dit.*~~

Boum ! Adieu, description **barbante** d'Alizée ! On ne veut pas de toi ! Maintenant, écrivons quelque chose de **plus intéressant**, genre...

***

Je n'avais pas besoin de lui demander si elle était prête. Son regard **en disait long**. Il disait qu'elle était prête à entrer dans **ce donjon** et à y rester jusqu'à ce que soit écrit sur son CV « **Cueilleuse de zombies** » à la place de « **Guerrière** », jusqu'à ce que cet endroit ne soit plus appelé **Tombeau du Roi Oublié**, mais **Pile d'Objets**, tellement le sol en serait couvert. **C'est pas tout** ! Elle y resterait jusqu'à ce que le ciel soit tellement **plein de sphères d'expérience** que les explorateurs à 5 biomes de là se perdraient parce qu'ils prendraient la lumière des sphères pour le Soleil ! *(À condition qu'ils n'aient pas de boussole...)*

Les portes menaient vers une pièce dont les murs étaient **couverts de torches de redstone.** Un escalier en **obsidienne** menait vers l'étage du dessous et il y avait **un grand panneau** près des portes.

LE TOMBEAU DU ROI OUBLIÉ
BÂTISSEUR EN CHEF : IONE
APPROUVÉ PAR : ENTITY303

On a démarré la descente dans les entrailles du donjon.

Hein ? Quoi ? Vous avez peur ?
Mettez-vous à ma place alors !

JOUR 8
SAMEDI - MÀJ III

La pièce du dessous faisait **trois blocs de large** et ressemblait fortement à celle qu'on venait de quitter : de l'obsidienne et de la **bedrock**. Les murs avaient des sortes... **d'alcôves** contenant des genres de pots de fleurs, mais il ne s'agissait pas du tout de pots de fleurs. On y voyait **de la poudre grise** qui ressemblait à de la poudre à canon.

– Ce sont des cendres, tu penses ? a demandé Alizée.

– **On dirait**. Comme si cet endroit n'était **pas assez flippant** comme ça.

On ne savait pas à quoi s'attendre, alors je suis **parti à l'avant**, épée dégainée. Alizée me suivait, son arc paré à tirer.

J'ai entendu **le raclement de pieds** dans le couloir sur notre droite. **Un zombie** a surgi quelques instants plus tard. Il est inutile de vous raconter en détail **la suite**, vous devez vous douter de ce qu'il s'est passé. **Deux flèches** et **un coup d'épée en diamant** plus tard, le zombie n'était plus de ce monde. Il ne restait que de la fumée. Des sphères d'expérience. Une épée de pierre, qui devait être à 5 ou 6 coups de la casse. Une armure en cuir dans un état pire encore. Mais voilà **la surprise** : il a aussi laissé derrière lui 6 émeraudes.

On s'est regardés. On n'a rien dit. Il s'est fait entendre le son d'une chauve-souris au sein du silence.

– **Donc...** a dit Alizée. Dès qu'on tue quelque chose dans ce donjon... **on gagne des émeraudes ?**

J'ai jeté un œil à la pile d'objets.

– Je ne sais pas. **Eto** m'a dit que les monstres n'en donnaient pas beaucoup. Mais peut-être que c'est **peu pour lui**.

On a entendu des frottements tout près. **Un autre zombie**, avec une épée, un bouclier et une armure entière, **tout en or**. On s'en est chargé comme du précédent, **sans trop se fatiguer**. Il a laissé derrière lui tous les objets qu'il portait, y compris **un plastron avec Protection II**... et **5 émeraudes**. On a échangé un regard. Plus de bruit dans notre direction. Surgirent 3, **non 4**, ou **peut-être même 5, 6 ou 7 zombies !** Non, ils faisaient trop de bruit... Il devait au moins y en avoir **8 ou 9**. On a échangé un autre regard. C'était la première fois qu'on posait les pieds dans un donjon. Tout ce qu'on savait de cet endroit avait été écrit il y a **des centaines d'années** par des villageois qui n'avaient jamais foulé le sol en dehors de leur village. Mais bon, **toutes ces émeraudes...**

On savait **précisément** quoi faire.

JOUR 8
SAMEDI - MÀJ IV

Après ce **petit combat**, il ne nous restait qu'à avancer. Mais une **porte en fer** se trouvait sur notre chemin. La clé n'a pas marché cette fois. Il nous fallait trouver un moyen de l'ouvrir.

Sauf qu'on n'a rien trouvé. On a eu beau **chercher partout**, on ne trouvait pas de bouton, de levier ou de plaque de pression. J'en suis venu rapidement à appuyer sur des blocs **au hasard**, en espérant qu'il y ait un bouton secret planqué quelque part. Alizée, quant à elle, essayait de tirer sur les torches, en espérant que l'une d'elles soit en fait **un levier dissimulé**.
Rien ne bougeait, j'étais sur le point de **hurrger**. Mais je me suis retenu. Je suis **resté calme**. Mon esprit était tel le diamant, **clair**, **aiguisé** et... Bon, bref, j'ai remarqué **un truc bizarre** dans l'alcôve à droite de la porte.

Il y avait une sorte de puits
qui menait vers l'étage du dessous.

Deux possibilités :
soit c'est un vide-ordures zombie,
soit j'ai trouvé un passage secret.
J'ai dégainé une torche, je me suis penché au-dessus du rebord et j'ai plongé ma tête dans l'ouverture. C'est pile à ce moment que j'ai pensé qu'il pourrait s'agir d'un piège. Mais non. Ce n'était pas un vide-ordures non plus. Notch, merci.
« C'est une blague ?
Alizée, viens voir ! »

Au fond se trouvait **une plaque de pression en or**. Une ligne de redstone était **connectée** à un **activateur**, sûrement relié à la porte. On avait qu'à **jeter un objet dessus**, et la porte s'ouvrirait.

Alizée a donc lancé **un casque en cuir**. Il ne s'est rien passé.

– **C'est bizarre**, a-t-elle dit. Je pensais qu'on pouvait activer des plaques de pression comme ça.

– **Moi aussi**. Euh...

J'ai continué à fixer la plaque dorée en essayant de me rappeler ce qu'on nous avait dit en cours.

– **Attends**, j'ai dit. Les plaques en or **sont particulières**, pas vrai ?

Alizée a haussé les épaules.

– J'y connais rien en redstone. **Si seulement Lola était là...**

En entendant son prénom, **j'ai tilté**. Je me suis souvenu de la fois où elle avait discuté de plaques de pression avec **Max**.

– Je me souviens qu'elle en a parlé. Elle disait que les plaques en or **étaient plus lourdes**.

– Oui, **le fer est lourd**, mais l'or aussi.

– Je ne sais pas trop ce qu'elle entendait par là...

J'étais sur le point de me rappeler... **Point... Point...**

– **Poids !**

Le poids des objets **influence** la puissance du signal de ce genre de plaques ! J'ai expliqué tout ça à Alizée et j'ai jeté une paire de jambières en cuir. **Toujours rien**. On a rajouté un plastron en fer avec Protection I et Fragilité III. Une épée en bois, une épée en pierre. Une paire de bottes en cuir. Un œuf. Une tulipe. Et une poignée de graines *(on était à court d'idées...)*.

Mais la porte **restait close**.

– Bon, la ligne de redstone est peut-être **très longue** sous nos pieds, a dit Alizée. On rajoute des trucs ?
Alors, **on a rajouté des trucs**. Plus ou moins tout ce qu'on avait pris aux zombies tout à l'heure. Et un œuf. Et une tulipe. Et une poignée de graines *(oui, je sais...)*.

On a entendu **un clic**. La porte venait de s'ouvrir.

– Alors, c'est ça qu'Eto voulait dire quand il parlait **d'épreuves**.
– Hein ?
– Rien, **rien**.

JOUR 8
SAMEDI - MÀJ V

On s'est farci **un autre groupe** de zombies, et quelques squelettes. On s'est battu à **merveille**. On avait un rythme **parfait** pour éviter qu'ils ne s'approchent. Sur la fin, je me suis jeté devant Alizée avec **mon bouclier** pour parer la flèche du dernier squelette. Ils ont laissé derrière eux **la pacotille habituelle**, **des émeraudes**, mais aussi **une épée en obsidienne**. Je n'en avais **jamais vu** auparavant. J'étais choqué de voir qu'elle faisait **moins de dégâts** qu'une épée en diamant, et qu'elle durait **deux fois moins longtemps**. Mais bon, c'est mieux que tout ce qu'on a pu trouver jusqu'à maintenant.

Dès que la situation l'exigeait, j'échangeais mon bouclier contre **une deuxième épée**. D'après Alizée, **l'enchantement** augmentait mes points d'armure et faisait comme **un mini-bouclier**. Quant à la poignée rose, je ne savais pas du tout ce que c'était. Alizée parlait de **« corail »**, mais elle n'en savait trop rien *(peut-être que les épées de pro peuvent contenir différents matériaux ? Mmmh...)*.

JOUR 8
SAMEDI - MÀJ VI

On est tombés face à **une nouvelle énigme**. Une autre plaque de pression. Elle était située au bout d'un tunnel, donc **pas moyen** de jeter des objets dessus.
Vous savez comment on a fait ? **Réfléchissez un petit peu.** Je vais compter **jusqu'à cinq**, et quand j'aurai fini, vous devrez me donner une réponse.

Prêts ? Un. Deux. Trois. Quatre. Cinq. Alors ?
Est-ce que votre réponse est : « Minus a bu **une potion de Réduction II** pour rapetisser et marcher dans le tunnel » ?
Mauvaise réponse ! Déjà, est-ce que vous me prenez pour un noob ?! Les potions de Réduction n'existent pas ! *(Merci de me dire si je me trompe.)*
Et ensuite, la réponse est bien **plus simple.**
Vous êtes prêts ? On va tester votre **intellect**. Vous pouvez encore réfléchir un peu. Si vous voulez continuer à réfléchir, arrêtez de lire tout de suite. Mais si vous abandonnez... **Et que personne ne triche, hein !** N'allez pas lire plus loin pour ensuite faire semblant que vous aviez la réponse !

Bon. Bref. **La réponse est : des flèches.**

Une seule flèche sur une plaque en or peut envoyer **le signal** sur un bloc. Comme le répéteur était situé juste à côté, **boum**, la porte s'est ouverte. C'est Alizée qui s'en est chargée, **évidemment**. Elle m'a dit que c'était *elle* qui devait le faire, pour **ne pas gâcher** *nos ressources*. Je ne vois vraiment pas ce qu'elle voulait dire par là...

Hé, mais en fait elle est en train de dire que **je ne sais pas viser ?!** J'ai raison, pas vrai ?! **J'y crois pas !** J'ai un arc, **moi aussi !** Je l'ai récupéré d'un squelette. Bon, il est sur le point de casser, mais **c'est suffisant** pour tirer sur cette plaque de pression et lui montrer qui est le chef. **Elle va voir**. Je reviens dans deux secondes, je vais prendre mon temps, retenir mon souffle, bien viser et...

JOUR 8
SAMEDI - MÀJ VII

Bon, cet arc avait des problèmes. Je dis « avait » parce que la corde a craqué au huitième tir.
Je vise hyper bien d'habitude.

JOUR 8
SAMEDI - MÀJ VIII

La pièce d'après était... **curieuse**. Elle était longue, avec une porte **en épicéa** au bout. Le sol fait **d'obsidienne** était couvert de plaques de pression.

Mais oui ! C'est la coordination des couleurs ! L'or ne va pas du tout avec **l'ambiance glauque** de ce donjon. Je blague, je savais qu'il s'agissait **d'un piège**.

– Je sais ce que c'est, j'ai dit. **Un pas de travers** dans cette pièce activera **un nuage de flèches**. Urg le Barbare a dû éviter une pièce exactement comme celle-ci dans le dernier tome. Je la reconnais.

J'étais très fier.

– Oui, mais **si c'était vraiment** un piège à base de flèches, ne devrait-on pas voir **ces machins avec des visages**, dans les murs ?

– Tu veux dire des distributeurs ?

– **Oui,** tu ne penses pas ?

Un distributeur peut contenir différents objets et **les expulser** suite à son activation. Elle avait raison, si des flèches devaient **sortir du mur**, on devrait voir les distributeurs sur les parois... Or, les murs étaient faits **uniquement de bedrock**.

Alizée s'est penchée en **prenant soin** de rester au niveau de l'entrée.

– Je crois que c'est le plafond, elle a dit. Il est bien **plus bas** que celui des autres pièces, et **en pierre taillée**. C'est la première fois qu'on voit de la pierre taillée dans ce donjon...

J'ai sorti **une poignée de graines** de mon inventaire.

– **Essayons**, pas vrai ?

J'ai jeté les graines sur la plaque de pression directement devant nous. Il ne s'est rien passé. La plaque de pression a été activée, **mais c'est tout.**

– Essaye de **les jeter plus loin**.

J'ai ramassé les graines et les ai jetées à **deux blocs** de nous. Encore une fois, **la plaque s'est activée…** et puis **le plafond entier est tombé** dans un fracas **assourdissant**, le son de plus de **cinquante pistons** s'activant en même temps.

Alizée m'a dit quelque chose, mais je n'arrivais pas à l'entendre. Elle s'est **élancée** lorsque le plafond s'est relevé, a **attrapé les graines** et est revenue à toute vitesse. Je ne savais pas comment elle pouvait aller aussi vite. Ça m'a rappelé notre rencontre *(était-ce un autre de ses dons ?)*. Le plafond s'est abattu **une nouvelle fois**, puis est remonté, pour cette fois s'arrêter. On s'est contentés de **fixer** le sol de la pièce, on avait les oreilles qui sifflaient. En tout cas, **les miennes**, oui. J'avais entendu parler de **ce genre de pièges**, bien sûr, mais je n'imaginais pas… **ça**. Maintenant, je l'imaginais. Le plafond de pistons couvert d'un réseau de redstone, qui se poursuivait vers le sol.

Ça devait
ressembler à ça…
Le plafond ?
Le sol ?

— Regarde ce que les Ouvriers ont créé… On est face à des gens complètement fous.

Je n'osais pas imaginer **la douleur** en se prenant **un tel piège sur la tête.**

Il fallait qu'on trouve **l'itinéraire** pour traverser la pièce. Un pas de travers, et on finirait en pizza de villageois.

Jeter des objets devant nous ne servirait à rien vu que **le plafond entier** se détachait.

La réponse se trouvait dans les mains d'Alizée. Elle possédait **une canne à pêche**, et l'hameçon était **suffisamment lourd** pour activer les plaques. On pourrait s'en servir pour **déterminer** quelles étaient les plaques sur lesquelles marcher. C'était **un travail long** et assourdissant. Si les monstres ignoraient notre présence, ce ne devait plus être le cas.

On a abouti à un itinéraire **30 minutes plus tard**. Je vais inclure **un dessin du chemin** dans mon journal au cas où des aventuriers devraient visiter ce donjon un jour.

Au fait, même en connaissant le chemin pour ne pas se faire écrabouiller, **c'était quand même** terrifiant. Je pense que je vais **flipper** dans les pièces bas de plafond pendant un certain temps après ça.

Les humains parlent souvent d'un wiki qui contient plein d'informations sur toutes sortes de sujets. Si on fait un jour un wiki sur les donjons, il faut y rajouter ce dessin.

JOUR 8
SAMEDI - MÀJ IX

Un autre piège. Celui-ci était **assez évident**, même s'il était presque **impossible** de savoir de quel genre de piège il s'agissait. C'était un **long** couloir, de **trois blocs de large**. Le sol, fait de **sable des âmes**, était entièrement **recouvert** de plaques de pression. **Des toiles d'araignées** remplissaient l'espace restant.

On allait galérer à avancer avec tout ça.
Pas cool !

Oui, **du sable des âmes** peut vous ralentir, même sous des plaques de pression. Je n'aimais pas ça du tout. **Du tout, du tout !** Les toiles d'araignée **cachaient** ce qui se trouvait plus loin. Je me suis tourné vers Alizée, qui tenait toujours **la canne à pêche**.

– Sûrement **des distributeurs**, j'ai dit.

– Des flèches, tu penses ? Les flèches passent à travers les toiles ?

– On va vite le découvrir. **Hameçonne-moi tout ça !**

Alizée a fait voler son hameçon, qui a atterri sur une plaque en pierre. La plaque **ne s'est pas activée**.

J'ai soupiré.

– **Bon...** Elles ne marchent pas au poids.

– Qu'est-ce que tu veux dire ?

– Je ne suis pas sûr, mais je pense que ces plaques de pression ne s'activent que si **un être vivant** marche dessus. On va vite s'en rendre compte.

J'ai tenu mon bouclier bien devant moi. Alizée me suivait. Comme je m'y attendais, un pas sur la première plaque a déclenché **une nuée de flèches** accompagnées de spirales bleutées. **Elles étaient enchantées.**

– Sort de Ralentissement, a dit Alizée.

– **Super**.

Un autre pas, **une seconde nuée** de flèches. Une flèche a tapé mon bouclier avec **un bruit sourd**.

– Heureusement que j'ai apporté un bouclier. Entre le sable des âmes et les toiles d'araignée, le sort des flèches nous ralentirait tellement qu'on sortirait **jamais** d'ici.

Environ **9 millions d'années** plus tard, on a atteint le bout du tunnel. Le goût des toiles d'araignée **remplissait ma bouche**. Mais ce n'était pas le pire. On ne pouvait pas récupérer ce qui se trouvait à l'intérieur des distributeurs. **Ni ramasser** les flèches sur le sol. Il n'y en avait pas au sol, elles se **désintégraient** dès qu'elles entraient en contact avec quelque chose *(j'ai essayé d'en attraper une super vite, mais elle s'est réduite en miettes dès que je l'ai touchée).* Pas de flèches **gratuites** aujourd'hui. Ces Ouvriers, dîtes… ils ont vraiment pensé à tout, pas vrai ?

À peine sortis de cette panade, Alizée s'est précipitée vers la porte, puis **s'est arrêtée**.

– C'est **bizarre**, elle a dit.

– **Quoi ?**

– La porte est **ouverte**.

– **Hurmmm**. Peut-être que c'est grâce **aux propriétaires** des chevaux dehors ? **Allons-y**, ils ne doivent pas être loin.

JOUR 8
SAMEDI - MÀJ X

On est arrivés dans **une grande pièce**. Le style d'architecture était très différent du reste du donjon. Tout avait toujours **l'air lugubre**, couvert d'obsidienne et de bedrock, mais c'était… **beau**, en quelque sorte. Je ne suis pas un expert, mais j'avais **l'impression** qu'il s'agissait de l'œuvre d'un Ouvrier **différent**.

Ils avaient gravé des portraits dans l'obsidienne. Je ne reconnaissais personne.

Vous le croyez, vous, qu'il s'agissait du **sorcier le plus gentil au monde ? Moi pas.** En le voyant comme ça, je ne m'attendrais pas à ce qu'il me serve du thé et des petits gâteaux. Je m'attendrais plutôt à ce qu'il m'offre **la perspective** d'être transformé en lapin et/ou catapulté dans le **Vide**.

– On fait quoi, là ? j'ai dit. **C'est quoi le piège** ? Vagabonder dans des couloirs gigantesques ?

– On dirait plutôt que quelqu'un **s'en est déjà chargé**.

Elle a pointé le chemin devant nous. Il était **parsemé d'objets**. Des épées. Des haches. Des bouts d'armure. Et puis **des restes de monstres**, comme des os, des yeux d'araignées...

Donc, la zone avait été **nettoyée**. Ils devaient être pressés parce qu'ils n'avaient même pas **pris le temps de ramasser** quoi que ce soit. On a trouvé **une bague en or**. Elle avait un nom assez classe : *Alliance antique*. Je l'ai ramassée parce que bon, **visez un peu**.

Il y avait aussi **un bracelet de redstone**. **« Attaque critique »** veut dire que les dégâts infligés gagnent **un point à chaque niveau**. Donc, **un cœur**. Autant dire qu'Alizée **a voulu le prendre**.

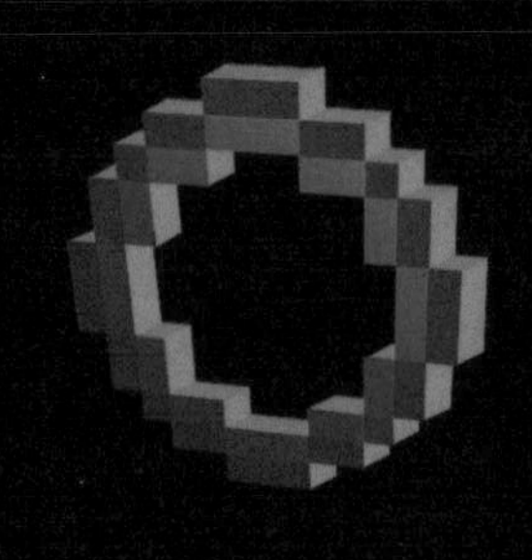

BRACELET
DE REDSTONE
ACCESSOIRE
ATTAQUE
CRITIQUE I

Le reste des objets **ne valait pas mieux** que ce qu'on avait déjà. Des haches en or, des épées en fer. Certains avaient de **faibles enchantements.** On a tout pris. On allait échanger le tout contre **quelques centaines d'émeraudes** quand on reviendrait à la Travée du Hibou. Une question **m'est venue à l'esprit.**

– Si quelqu'un est déjà passé par là, **d'où venaient les zombies** de tout à l'heure ?

– Je pense qu'ils **venaient d'apparaître**, a dit Alizée. C'est ce que m'a dit Kolb, avant que je vienne te chercher. Les monstres **apparaissent sans arrêt** dans les donjons.

– Avec **des générateurs de monstres ?**

– Oui. Enfin, quelque chose comme ça. **Ils sont invisibles**.

– Donc, les gens que nous cherchons doivent **être proches**, si les zombies ne sont pas réapparus.

– Sûrement.

Elle m'a répondu **d'un air absent**, vu qu'elle était en train de fixer quelque chose sur le mur : **un arrangement de blocs de fer** à la place de la bedrock. Il était **surmonté** d'un énorme panneau en pierre. Je n'en avais **jamais vu de tel**.

Je pourrais faire **un autre dessin**, avec plus de détails pour que vous puissiez lire, mais je suis pressé. **Je vais écrire les mots ici :**

Le Caveau de l'Emerillion

Un trésor ancien scellé à jamais
jusqu'à ce que la lumière nous revienne
Emerillion Grayson CharBot Aeonia
Martin Declan335 Robert303 XiangFang
Rainbow_Creeper Creepyguy101

– **Un trésor ancien**, j'ai dit. Qu'est-ce que ça veut dire ? **Qui sont ces gens ?**

– **Des ouvriers**, a dit Alizée en s'approchant du panneau. Ce donjon n'est **pas vraiment un tombeau**, mais plutôt **un labyrinthe** construit il y a des milliers d'années, dans **le but de piéger** les créatures qui constituent **une menace** pour notre monde, je crois.

Son visage était **sombre, troublé**. Elle était au courant d'un truc que j'ignorais, et ce mur **le lui rappelait**.

Elle savait un truc, **c'était obligé**. Elle ne parlait **jamais** ainsi. Alizée, une fan d'histoire ? **Ça m'étonnerait !** Les deux vont ensemble comme **ma main et un arc**. Émeraude et la boue. Mastoc et n'importe quoi de salé.

– **Comment sais-tu tout ça ?** j'ai demandé un peu froidement.

– Mon... **père** m'a forcée à lire plein de livres d'histoire.

Elle a fait un sourire. **Forcé**.

– On y va ?

Oh, *belle excuse*, j'ai pensé. ***Elle cache quelque chose***, *c'est sûr. Je devrais* ***la confronter*** *à ce sujet.*

Une autre pensée m'a frappée. *(Eh oui, j'ai complètement oublié de la confronter, du coup.)*

– **Attends un peu**, j'ai une question pour toi, **madame Je-sais-déglinguer-des-monstres-mais-je-suis-aussi-douée-avec-les-plantes-et-forte-en-histoire**. Si ce donjon contient des trucs **super dangereux** qui sont écartés du reste du monde... ça veut dire quoi ? Qu'on va rencontrer **des monstres géants**, ou des **machines de guerre**, ou des armes **légendaires** et **maudites**, ou alors des monstres géants portant des armes légendaires et maudites, peut-être une dans chaque main, **tout en chevauchant** ladite machine de guerre... ?

Ma question **idiote** ne l'a pas fait réagir, elle m'a simplement répondu :

– Je pense que ce donjon contient **une création** de Celui Sans

Yeux, qui a combattu à la fin de **la Seconde Grande Guerre**. Elle ne peut pas être vaincue, seulement **affaiblie** pendant un certain temps. Oui, je pense qu'il s'agit de ce que les humains appellent **un boss**.

– Et ce caveau, alors ? **On l'ouvre comment ?** Et qu'est-ce qu'il contient ?

– **Ben...** je ne sais pas trop. Je pense savoir ce qui se trouve dedans, mais je ne sais pas du tout comment l'ouvrir.

– **Hurmm...**

Qu'est-ce qui lui prend ? Elle me ***cache*** *vraiment quelque chose !* ***Pourquoi ?!*** *Qu'est-ce qu'elle sait ? Est-ce que je peux lui faire confiance ? Non mais... qu'est-ce qui m'arrive ? Bien sûr que je peux lui faire confiance.* ***Bref****, c'est pas le moment. Le village entier compte sur nous. Chaque seconde est précieuse.* ***2 500 émeraudes. Allez !***

À nouveau, j'ai **examiné** le caveau. Je cherchais un bouton, quelque chose qui l'activerait. **Malheureusement**, la seule chose qui s'activait était **mon impatience**.

Il y avait bien une fente dans le mur, **6 blocs au-dessus du panneau**. Vous la voyez ? **Sur le dessin ?** C'était sûrement la solution à notre problème. **Une lumière bleue** s'en échappait *(qu'est-ce que ça pouvait bien être ?!)*.

Bien sûr, si ce donjon marchait comme le reste de l'Overworld, on aurait pu y accéder facilement. **Une colonne en terre**, et voilà. Mais ici, il fallait jouer **selon les règles**. Peut-être que ce tunnel contenait un bouton et qu'il nous faudrait **une potion de Vol** pour l'atteindre. **Qui sait...**

– **Bah**, j'ai dit. Ça fait rien. **On doit sauver Bourg-Village**, pas vrai ? Allons trouver d'autres zombies, tuons-en **le plus possible**, ramassons les émeraudes, on trouve la mousse, **et hop**, on obtient la récompense du forgeron qui nous permettra d'acheter **un établi perfectionné**. Qu'est-ce que t'en dis ?

Soudain,

Alizée m'a pris dans ses bras.

Pourquoi ? Je ne le saurai jamais. Je lui ai bien posé la question, mais elle a simplement **haussé les épaules**. Ensuite, elle m'a dit qu'elle avait eu l'impression **d'enlacer un golem de fer**, à cause de mon armure. Sans plus un mot, on s'est dirigés vers **le couloir silencieux.**

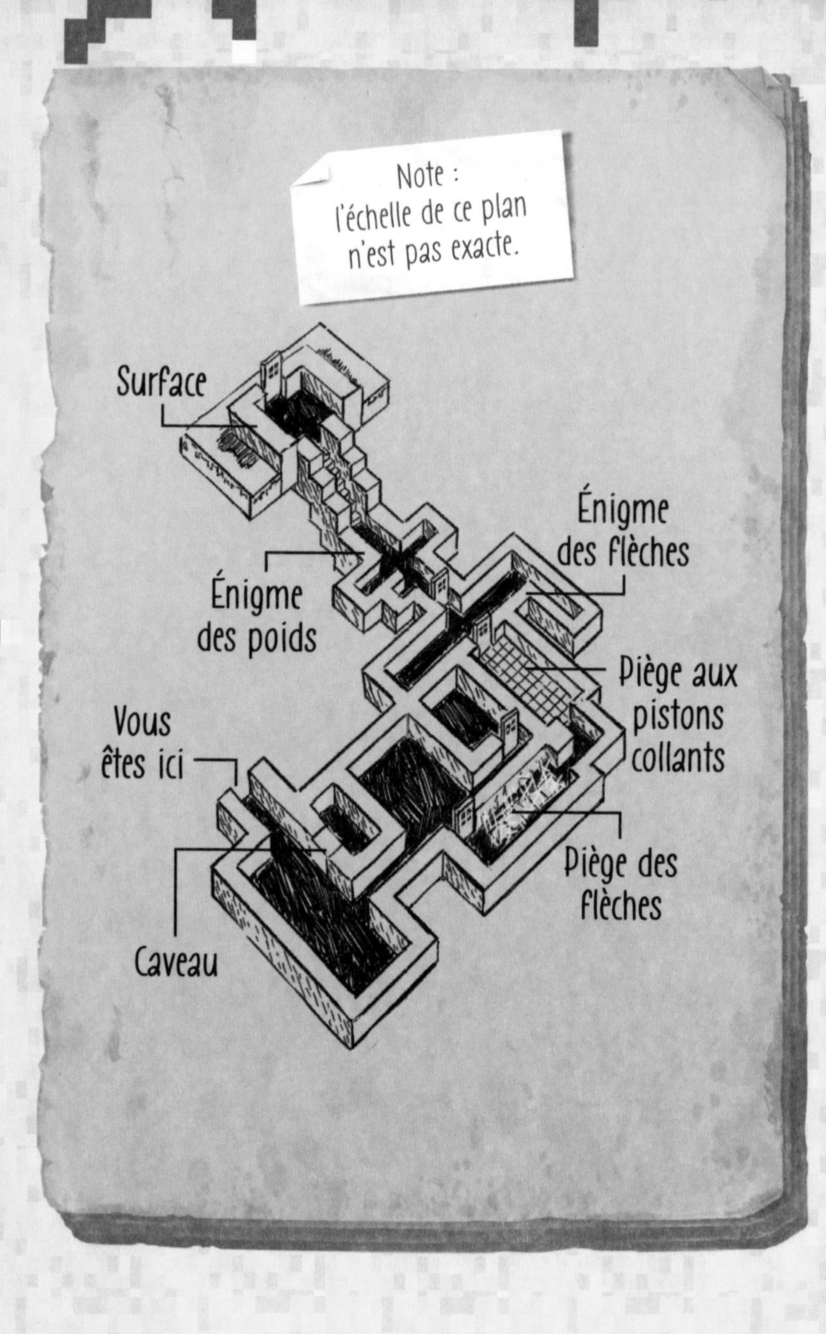
Note :
l'échelle de ce plan
n'est pas exacte.
Surface
Énigme
des flèches
Énigme
des poids
Piège aux
pistons
collants
Vous
êtes ici
Piège des
flèches
Caveau

JOUR 8
SAMEDI - MÀJ XI

Le couloir suivant était fait **entièrement** de portes en bois. Chaque porte menait vers une pièce de 5 blocs de long, 5 blocs de large et 3 blocs de haut. La plupart des salles n'avaient **pas grand intérêt** : elles contenaient surtout **des étagères** avec des livres et les volumes étaient écrits dans **une langue** qu'on ne reconnaissait pas. Dans la pièce suivante, on est tombés sur **une énième étagère**, dont un livre était lu par **une personne avec une tête de loup**.

Il prétendait **être un sorcier**, mais aussi **un érudit** en histoire et en potions. En plus, il nous a proposé de **nous enseigner un nouveau** talent : **Analyse de monstre**. Comme ça, on pourra voir **le nom des créatures**, mais aussi :

1. Une barre verte qui montre **leurs points de vie**.
2. Tous **les effets des sorts**, positifs ou négatifs.
3. Une indication visuelle **des dégâts qu'on leur inflige** et **des cœurs qu'ils perdent**.

C'est cool, non ? J'ai consulté Alizée qui pensait que c'était **une bonne idée** qu'on l'apprenne tous les deux. Alors, **on l'a fait**. C'était plié en **cinq minutes**.

Faolan a **murmuré quelques paroles magiques** et a fait apparaître **un cube bleu translucide** qui avait des yeux. **Un slime de glace**. Je savais que c'en était un parce que je pouvais voir **son nom flotter** au-dessus de lui.

SLIME DE GLACE

– **Une icône dorée** veut dire **effet positif ou *buff***, a dit le sorcier. S'il s'agit d'une **icône entourée de bleu**, c'est **l'inverse**. Comme vous pouvez le constater, ce slime possède **un de chaque**. Ça, c'est parce que le slime de glace **préfère le froid**. Il subira **plus de dégâts d'attaque** avec du feu. Avec votre **nouveau** don, vous pourrez facilement connaître **les faiblesses** de vos adversaires, et vous en servir.

– Et **les symboles de l'infini** sous les icônes ? a demandé Alizée.

– Ils indiquent **la durée**, a dit Faolan. Normalement, vous devriez voir des chiffres à cet endroit. **Un décompte**. Mais les effets dus à une affinité sont **permanents**.

J'ai remarqué que le texte au-dessus du slime **avait disparu**.

– Hein ? Qu'est-ce qui s'est passé ?

– Ça ne marche que si vous êtes **en train de regarder** un monstre. C'est **plus pratique**. Sinon, les combats avec beaucoup de monstres seraient... comment dire... **encombrés**.

– **Oh**.

J'ai fixé le slime. **Le texte est revenu**.

– **Cool**.

Je me suis tourné vers Alizée.

– C'est presque **de la magie !** Tu vas voir, quand on rentrera. Je vais le montrer à tout le monde ! Et on pourra **échanger des talents** avec les Légionnaires !!

– **Ouais...**

Elle fixait le slime, perdue dans ses pensées. Elle s'est tournée brusquement vers le sorcier.

– Que se passe-t-il **si on améliore** ce talent ?

– Des informations **supplémentaires**. Les points d'armure, les stats, les dons, les objets qu'ils portent sur eux, et enfin **leur inventaire complet**.

– Waouh ! a dit Alizée. Ça, c'est pratique. Merci beaucoup.

– Ravi d'avoir pu vous aider.

Le sorcier a marqué une pause. On aurait dit qu'il voulait poser une question, mais qu'il n'osait pas.

– Euh... d'où est-ce que vous venez au juste ?

– Bourg-Village, j'ai répondu. Vous connaissez ?

– J'en ai entendu parler. Il possède une muraille, pas vrai ? Malin. J'aurais bien aimé que dans mon village, on ait la même idée...

Il avait l'air un peu triste. Il nous a raconté qu'il ne venait pas d'un village, mais d'une ville. Diamantville, pour être exact. Il s'agissait de la plus grande ville portuaire du monde. Elle a été attaquée, il y a deux mois. Entièrement détruite. De nombreux villageois ont réussi à s'enfuir grâce aux bateaux. Le sorcier ignorait où ils étaient allés. Il est resté au port, pour geler les zombies jusqu'à ce que sa magie soit à sec. Il a ensuite été contraint de partir et est revenu le lendemain... pour retrouver des ruines.

– Je suis désolée, a dit Alizée. La même chose est arrivée à mon village. Ruissombre.

Le sorcier a lentement hoché la tête.

– J'en ai entendu parler. Certains n'ont **pas réussi à s'échapper**, n'est-ce pas ? Certains ont même été **capturés...** Je suis vraiment désolé. Je n'ose pas imaginer...

Ils ont tous les deux **baissé la tête**.

– Vous pourriez **rentrer avec nous** à Bourg-Village, a proposé Alizée.

(En bon gentleman, je ne les ai pas interrompus, même si j'allais moi-même le proposer.)

Les joues du sorcier sont **devenues rouges**.

– Oh, **je ne sais pas**. Vous pensez qu'ils accepteront quelqu'un comme moi ? Ma magie n'est **pas très puissante**. Je ne suis qu'un **néophyte...**

– Je suis sûr que les habitants de Bourg-Village **seraient ravis** de rencontrer **un vrai sorcier**. Pas vrai, Alizée ?

– **Pour sûr.**

Faolan a hoché la tête.

– **Très bien. Mmmh**. Je m'y rendrai bientôt.

– Vous êtes **le bienvenu** si vous souhaitez vous joindre à nous pour le retour, a dit Alizée.

– Oui, on rentre à la maison **dès qu'on en a fini** avec ce donjon.

Il a secoué la tête.

– J'ai bien peur de **devoir refuser**. Il me reste beaucoup de travail. Les livres à l'intérieur des donjons contiennent **un savoir très riche**, perdu depuis des centaines d'années. Mais je m'y rendrai dès que **ma tâche sera accomplie**.

– **Super**. J'espère vous y voir. **Oh**, pardon, moi, c'est Alizée, et...

– Minus.

Donc ouais, bilan : on a **un nouveau talent** et on a trouvé **un sorcier** pour Bourg-Village. Néophyte ou non, il sera **sans doute utile**. J'ai d'ailleurs appris que néophyte est **la version polie** de **«noob»**.

Oh ! Alizée veut que je précise quelque chose. Les joueurs parlent de **buffs** pour désigner **les effets des sorts**. Ils ont une certaine durée. Voyez-vous, **une pomme dorée apporte deux buffs : Absorption I** pendant deux minutes et **Régénération II** pour cinq secondes. À l'opposé, il y a le **debuff**. Un effet **négatif** que vous allez vouloir **éviter à tout prix**, comme l'enchantement des flèches de tout à l'heure. Fastoche, **pas vrai ?** Voilà, la leçon est terminée. Veuillez laisser une pomme enchantée sur mon bureau avant de sortir.

JOUR 8
SAMEDI - MÀJ XII

C'est **la douzième MÀJ** de la journée. **Et quelle MÀJ, les amis !** Vous n'allez **pas me croire**. Je n'arrive pas à m'en remettre, je suis **tout tremblant**, je saute partout, presque autant qu'un slime avec des **bottes de Saut II**.

En fait, ça n'a pas trop de sens ce que je viens de dire, parce que des bottes n'iraient pas du tout sur un slime. À part peut-être un bébé slime, et encore. **Voilà le problème :**

Pour info : *je n'ai pas oublié la ponctuation, je l'ai fait exprès pour* ***transmettre l'émotion*** *et la hâte d'un gamin qui s'apprête à manger sa première part de gâteau enchanté, style* **WAOUH MEC CE**

GÂTEAU = SUPER GÉNIAL LÉGENDAIRE 10/10 JE RECOMMANDE À UN AMI MEILLEUR PLAT DE L'OVERWORLD !!!!!!

Les slimes ne portent pas de bottes. **Très bien**. Et les araignées, **hein ?!** Mais les araignées ont **8 pattes**, donc... il faudrait enchanter **4 paires de bottes** pour une araignée, et honnêtement elles sont bien rigolotes à grimper sur des cactus et tout, mais elles sont **pas assez noobs** pour se fatiguer autant.

Oui, mais au moins les araignées peuvent porter des bottes, c'est clair ??????

C'est clair ??????

C'est clair ??????

OK, C'EST BON, JE SUIS D'ACCORD,

PAR PITIÉ PARDONNEZ-MOI !!!!!!

JOUR 8
SAMEDI - MÀJ XIII

Pardon. Je me suis un peu emporté.

Bref, voilà **ce qui s'est passé**. On marchait dans les couloirs, et puis on a entendu **un cri**, suivi d'un **hurlement lugubre**, puis **un autre cri.**

– On dirait qu'on se rapproche, a dit Alizée.

Elle parlait **des gens qui avaient attaché leurs chevaux**, dehors.

– **Viens !** elle a crié avant de s'élancer dans la direction des cris.

– Hé ! **Attends-moi !** Mon armure me ralentit !

On a traversé le couloir **à toute vitesse**, dépassant les torches, les piliers et les objets **éparpillés** sur le sol. Les cris devenaient **de plus en plus forts.** Au dernier virage, on s'est arrêtés **net**. Le couloir s'ouvrait sur **une salle immense**, à l'intérieur de laquelle se battaient **deux personnes contre trois loups**. L'un des deux maniait une grande épée d'émeraude et portait une armure en cuir presque complète. Il manquait le casque et on pouvait voir **une tignasse de cheveux blonds**. L'autre portait **une armure en obsidienne** et tenait une hache écarlate dans chaque main.

Quant aux loups, je n'en avais **jamais vu de tels.**

J'avais lu des trucs sur **les gangrechiens**. Ils sont tout bêtement une version **plus flippante** des loups normaux. Bizarrement, j'avais lu qu'ils n'existaient pas dans l'Overworld. Grâce à **mon nouveau don**, je pouvais voir qu'ils avaient **deux améliorations** *(ou buffs)*. Le bouclier indiquait un enchantement **« PeauPierre »** qui augmentait leurs points d'armure pour chaque niveau. Le petit II voulait dire **« niveau 2 »**. La patte de lapin dorée désignait **« Hâte » niveau I**, ce qui veut dire que leurs mouvements et leur vitesse d'attaque étaient **augmentés de 25 %**. Une troisième icône est apparue après qu'Alizée a lancé une flèche, **un debuff** qui réduisait leurs dégâts d'attaque.

Le jeune humain aux cheveux blonds *(presque orange)* a jeté un coup d'œil par-dessus son épaule.

– **Cool !** On a carrément **besoin d'aide !**

Sans dire un mot, nous nous sommes **précipités** dans la bataille. Les trois monstres se sont **focalisés** sur nous. Je ne sais pas si je les attirais avec **l'énorme hibou** sur mon bouclier, mais en tout cas ils n'arrêtaient pas de **m'attaquer**. L'énorme hibou repoussait leurs attaques avec un petit **« clonc »**. Ils devaient avoir tellement **honte !** Alizée faisait **pleuvoir les flèches**, tandis que les deux autres guerriers frappaient à tout va, **de manière effrénée**, comme s'ils étaient en train de creuser pour atteindre la dernière veine de **diamant** de l'Overworld.

Je ne vais pas donner tous les détails de la bataille, mais en gros les **gangrechiens** sont tombés les uns après les autres sous la nuée de flèches et de coups de hache *(et quelques coups d'épée pas mal placés, sans vouloir me vanter. Oh, et aussi grâce au blondinet !).*

Après le combat, le guerrier en **armure d'obsidienne** s'est penché pour ramasser les **émeraudes**. Son compagnon s'est tourné vers Alizée :

– **Merci**, on aurait vraiment **galéré** sans vous.

– C'était pas mal galère, j'ai dit. Donc, **euh…** est-ce que tous les monstres des donjons sont comme ça ?!

Il a secoué la tête.

– **Non**, pas vraiment. En tout cas, pas dans ce coin. Je ne sais pas trop comment ces gangrechiens **ont atterri ici**. On n'en trouve pas dans des donjons « **faciles** » comme celui-ci. Et puis t'as vu les **buffs** qu'ils avaient ? Comment c'est possible ? Trop **bizarre**…

Alizée s'est **jointe** à nous en faisant glisser son arc par-dessus son épaule.

– Ils ont pu être **invoqués**.

Le guerrier à l'épée a haussé les épaules.

– **C'est possible**. Je ne sais pas qui en serait capable, mais bon... **Troller** faisait partie du jeu avant, mais plus trop maintenant... J'ai remarqué que le guerrier en armure d'obsidienne **ne bougeait plus du tout**. Il y avait encore plein d'émeraudes éparpillées autour de lui. On aurait dit qu'il avait été **congelé**, d'un coup.

C'est bizarre, j'ai pensé. *Il a un problème ? Il a arrêté de bouger quand on a pris la parole, Alizée et moi...*

Alors, **je l'ai regardé**, et ses informations sont apparues au-dessus de sa tête. **Son nom. Sa barre de vie**. « Analyse de monstre » avait l'air de marcher aussi sur les gens. Mon cerveau a mis **un moment** avant de percuter le nom. C'était **impossible** qu'il l'accepte.

Non. Non, non.
Nnnnnoooooooon !

Mais son nom était bien là, **vraiment là**, et correctement écrit. C'était **un nom unique** dans l'Overworld, je n'aurais pas pu trouver quelqu'un avec le même. Et c'était le nom de quelqu'un que **je détestais**, quelqu'un que je pensais **ne jamais** revoir...

PIERRE

JOUR 8
SAMEDI - MÀJ XIV

Pierre. *Pierre !*

C'était bien Pierre !

Il s'est **retourné**, et je n'en croyais toujours pas mes yeux. Il était **vivant**, il était **là**, et en plus il portait **des trucs super cool** *(est-ce que ce sont des haches en acier rouge que je vois ?!).*

– **Waouh** ! il a dit. Qu'est-ce que vous faites là ?

Je me suis approché de lui, cherchant mes mots **désespérément**.

– Je... **euh**... enfin... on... **euh...**

L'humain, du nom de **S**, a affiché **un sourire moqueur**.

– On dirait que vous vous **connaissez**, il a dit.

– Oui, a répondu Alizée en fixant Pierre **froidement**. Malheureusement.

Je le fixais aussi.

– L'Overworld **t'a réussi**, on dirait. Tu vas nous dire que tu n'es plus le Pierre que tu étais. **Que tu as « changé »**.

– Eh bien... **oui**.

S **souriait** toujours et s'est tourné vers notre ancien **tortionnaire**.

– Ne me dis pas que **c'est...**

– **C'est bien lui**, a dit Pierre.

– Tu lui as tout raconté ?! j'ai dit.

– **Bien sûr**, a répondu Pierre. Que j'ai essayé de faire exploser la muraille, de ***te* faire exploser**, et je ne sais même pas pourquoi. Je pourrais **m'excuser** un million de fois. Ça ne me soulagerait pas. Tu comprends ? **Je...**

– **Ouais ?!** Ben peut-être que tu aurais pu...

Alizée **a crié plus fort** que moi.

– Tu as **beaucoup** d'explications à donner ! Tu as failli...
Et j'ai crié **plus fort qu'elle**, alors on s'est tous les deux mis à hurler de toutes nos forces.
– Les gens ne deviennent pas **fous** comme ça, par hasard...

– **ÇA SUFFIT !!**

Le cri que venait de pousser **S** était aussi fort qu'une explosion de TNT, et **on s'est tous tus**. On a continué à fixer Pierre **intensément**.
– **Bon**, écoutez. Il m'a tout raconté, et je pense vraiment qu'il était sous les effets de **Confusion III**. C'est **un debuff très puissant** qui peut vous retourner la tête et peut même vous faire croire que vos amis sont vos ennemis. Et le troisième niveau de sort peut le faire durer **des jours entiers**. Vous devriez plutôt vous en prendre à **Celui Sans Yeux**.
– J'ai entendu dire qu'il était **pas mal occupé** ces temps-ci, a dit Alizée.
– **C'est vrai**, j'ai dit. Tu es en train de dire que **Celui Sans Yeux** a jeté un sort de Confusion, alors qu'il était à **un million de blocs** de là ?
S **a secoué** la tête.

– **Non**, d'après ce que je sais, Confusion III ne marche pas en sort, mais uniquement **en potion**. Et d'habitude, il est utilisé **sur des flèches**.

J'ai repensé aux derniers combats où Pierre était **déchaîné**, mais ça, c'était plutôt **son style**. Il n'avait pas peur de prendre des dégâts, et du coup il enchaînait les potions. **Pourrait-ce être la réponse ?** Quelqu'un lui aurait **glissé** une potion de Confusion à la place d'une potion de Soin ?

S avait l'air de lire dans mes pensées parce que c'est **l'hypothèse** qu'il a avancée. Sauf que **je ne le croyais pas**. Je n'avais pas envie de le croire. J'avais envie d'être **en colère** contre Pierre. Je sais que c'est **immature**. S'il avait subi **un lavage de cerveau**, alors ça voulait dire qu'il n'était **pas aussi méchant** que je le pensais. Mais c'était une possibilité qu'il fallait garder en tête…

– Pourquoi est-ce que quelqu'un aurait fait ça ?

– Et surtout, **qui** aurait pu faire ça ?

– On devrait s'en préoccuper plus tard, a dit Pierre **d'un air sombre**.

S a acquiescé.

– **Il a raison**. Les monstres vont **réapparaître** bientôt, il faut qu'on se bouge.

Pierre se tenait à un bloc de moi.

– **Je suis vraiment désolé. Vraiment.** Je ferais n'importe quoi pour me racheter. **Un million** d'émeraudes. Juste... n'importe quoi. Est-ce qu'on peut tourner la page ?

Pff !

Genre !

Il croit qu'il peut me faire exploser avec de la TNT et ensuite se rattraper avec quelques excuses ?!

Je voulais lui **crier** dessus, lui dire que **mes sentiments** avaient fermenté en **une potion de Rage XI**, et ensuite m'en aller avec Alizée. Mais **je valais mieux que ça**, pas vrai ? Je lui en voulais pour ce qui s'était passé, mais mes sentiments ne comptaient pas tellement dans l'histoire. **Collaborer** avec Pierre augmenterait sûrement les **chances de survie** de Bourg-Village, alors comment refuser ?

Le passé est le passé. Qu'est-ce que Kolb avait dit déjà ? Sur le fait d'affronter les problèmes qu'on n'a pas encore ?

Peut-être est-ce pour ça que **je lui ai tendu la main.**

– **Merci**, a dit Pierre en me serrant la main fort. Tu ne le regretteras pas. Et **euh...** est-ce que je peux vous demander ce que vous faites là ?

– **Ben**, en fait...

Je lui ai donné **un résumé de notre mission** : Kolb qui me demande de trouver **une forge de l'éternité**, comment j'ai en fait besoin de **2 500 émeraudes** et ce forgeron qui m'envoie en mission pour trouver de la *mousse lumineuse*.

– De la mousse lumineuse ? a dit S. **Ça viendra du boss**, et de personne d'autre. Venez, il est juste **derrière ces portes**.

Pendant que S menait la troupe, Pierre m'a parlé **à voix basse** :

– Ne t'inquiète pas, il sait vraiment ce qu'il fait. Je crois qu'il connaît **tout sur tout**. Il m'a appris tellement de trucs...

Après **un rapide regard** échangé avec Alizée, on est entrés dans un nouveau couloir avec – *et je n'arrive pas à croire que j'écrive ça* – **Pierre l'exilé** à ma gauche. Devant nous, l'humain nommé S marchait tranquillement, aussi **confiant** que **mystérieux**.

Il s'est arrêté devant
une paire de portes gigantesques
et s'est retourné.

«Il se trompe,
je ne sais pas tout sur tout.
Je pense que c'est ce qui me
pousse à explorer ce monde
complètement fou...»
«Ça, et une promesse...
Où es-tu, Emerillion... ?»

JOUR 8
SAMEDI - MÀJ XV

Si vous regardez **attentivement** le dessin précédent, vous remarquerez que les portes font 5 blocs de hauteur. Il ne s'agit pas d'une **exagération**. Je suis toujours **très précis** dans mes dessins. Et ces portes **gigantesques** menaient vers une pièce tout aussi énorme. Avec un zombie géant assis sur un trône tout au bout de la salle.

– C'est le boss, a dit S. Évidemment.

– Il reste assis comme ça ? a demandé Alizée.

– C'est normal, a dit Pierre. Les boss attendent généralement que vous veniez les chercher. En tout cas, les boss assez faibles.

– Tu t'es battu contre combien de boss ? j'ai demandé, surpris.

– Deux. Non, attendez... Le Seigneur Squelette, ça compte ?

– Nan, a dit S. Le script était complexe, mais je dirais plutôt que c'est un mini-boss. Un monstre de quête, quoi.

Script ? Monstre de quête ? Hurgg...
J'étais complètement paumé. Et on dirait que Pierre
avait vécu pas mal d'aventures.
Ouais, j'étais pas mal jaloux.

S s'est avancé.

– On dirait qu'il a aussi PeauPierre II et Hâte I. Mmmmh. Il existe un objet qui apporte ces deux améliorations, et en plus il peut servir pendant 30 minutes. Je pense qu'il a... comment ça s'appelle déjà ? Un disque de diamant ? Les loups, et maintenant ça... c'est très bizarre.

C'était effectivement **très bizarre**. Si S disait vrai, ça voulait dire que **quelqu'un** essayait de nous mettre des bâtons dans les roues.

Pierre a trouvé les mots :

– **Je n'aime pas ça**. J'ai le sentiment que quelque chose **cloche...** Peut-être devrait-on partir.

– On a **vraiment besoin** de ce cristal, a dit S en nous regardant Alizée et moi. On est sur une quête pour **éclairer un phare** dans les montagnes du sud-ouest. Il nous faut **le cristal de vide** que ce boss va nous donner.

– **D'ac**, j'ai dit. Je vais faire semblant d'avoir compris.

Alizée a bandé son arc.

– On a **un plan ?**

S sourit à nouveau.

– **C'est très simple**. On attend jusqu'à ce que ses buffs s'arrêtent.

Quelle idée géniale, j'ai pensé, en jetant un regard vers l'autre bout de la pièce pour savoir **combien de temps** on allait devoir attendre.

Un frisson m'a parcouru, alors que j'étais en train de réaliser quelque chose.

23:53. Je n'avais pas fait le rapprochement encore.

– Si la durée de départ était vraiment de **30 minutes**, alors **la personne qui a créé ce buff était ici**, dans **cette pièce**, il y a 6 minutes. **Pas vrai ?**

S a haussé les épaules.

– **Possible.** Mais il n'y a personne d'autre.

On a **scruté** la salle du regard. Surtout Pierre. Il avait l'air **flippé**. Mais bon, il a l'air flippé **depuis qu'on l'a rencontré** aujourd'hui. C'est comme s'il était une personne **complètement** différente. Avant, il avait tout le temps **quelque chose à dire**. Là, il transmet une impression de **doute constant**. Qu'est-ce qui lui est arrivé ? Son expérience de l'Overworld a dû être bien **différente** de la mienne.

– On va devoir **attendre** et voir ce qui se passe, il a dit.

On s'est **approchés** du centre de la salle – *à 20 mètres du zombie géant* – et on a patienté. Pendant de **looongues** minutes. En silence. On jetait des regards **autour** de nous, de temps en temps. On lâchait quelques **blagues**. J'ai rangé mon inventaire. Cette potion irait mieux là.

Et puis enfin...

5 minutes et 37 secondes plus tard...

Un temps exact calculé en observant les durées des buffs du monstre...

Alizée a poussé **un petit cri**. Elle regardait vers le haut, vers le coin du plafond, loin au-dessus de nous. **J'ai suivi son regard**, et puis... oh non... **une potion**.

Mystérieusement, elle flottait peut-être à 15 blocs au-dessus du sol d'obsidienne et filait tranquillement dans les airs, avec des mouvements de haut en bas, comme si elle dansait...

Elle était tellement enchantée qu'elle brillait, aussi vivement qu'une torche violette. Elle flottait évidemment vers la main droite du zombie. Elle paraissait tellement petite dans son poing gigantesque.

En revanche, le zombie ne l'a pas avalée d'un trait. Je dirais plus qu'il l'a sirotée tranquillement. Sous les halètements de trois villageois et d'un humain, une troisième icône est apparue à côté des deux premières. Un cœur en or. Il s'agissait de Régénération V, un effet très puissant. Sa durée : 3 minutes.

– C'est trop bizarre, a dit S.

Pierre a, encore une fois, trouvé les bons mots :

– S ? Partons d'ici.

J'ai entendu un bruit de craquement dans mon dos. J'ai jeté un œil par-dessus mon épaule. Le couloir qui menait vers la sortie était à présent scellé par un mur de glace, qui brillait presque comme les objets enchantés.

Un rire **strident** s'est mis à résonner au-dessus de nous. Un rire **familier**. Un rire que je n'avais pas entendu **depuis longtemps**.

On s'est **retournés** en même temps.

Perché sur le trône se trouvait **un vieil homme** dans une tenue écarlate. Un chapeau **rouge**. Des lunettes de soleil. Une barbe **touffue** et **blanche**. C'était la personne que **j'avais rencontrée** à la Travée du Hibou, qui correspondait à la description de Cacao Withernoix.

À présent, en entendant ce rire, j'ai compris que **cette personne était en fait…**

Le même villageois qui nous avait **trahis**, il y a si longtemps.
Malgré le nom qui flottait au-dessus de sa tête, **j'avais du mal à y croire.** Déjà, cette personne était censée **ignorer les bases du combat**, alors ne parlons même pas de **magie !** Mais visiblement, il savait **voler**, se rendre **invisible** et **invoquer des murs de glace...**

– Vous avez **l'air si surpris**, a-t-il crié d'une voix étonnamment forte. **Je le suis aussi**, de vous voir **ensemble** tous les trois.

Il a sauté de son trône comme **un gamin impatient.**

– **C'est merveilleux**, n'est-ce pas ? **Les héros de Bourg-Village**, ici ! Et je vais **vous ratatiner** tous en même temps !

– **Vous le connaissez**, c'est ça ? a murmuré S à Pierre.

– **Ouais.**

– Tu aurais pu me dire que **tu étais suivi** par un vieux sorcier sénile.

– Il n'était pas un sorcier à l'époque, **rien qu'un idiot**.

– **Un idiot ?!** a crié Urf. S'il y a un idiot ici, c'est...

Alizée a **tiré une flèche à une vitesse inégalée**. Tellement rapide et tellement **précise**. **Un coup critique.** Urf avec une flèche sortant de **son front**. Enfin, ça serait arrivé, s'il ne s'était pas **évaporé** – *zip !* – comme **un enderman.** La flèche est rentrée en contact avec un bloc d'obsidienne.

Urf **flottait** dans les airs, à presque 10 blocs de là où il se trouvait il y a quelques secondes.

– Ne recommencez p...

Alizée n'a **pas hésité**. Une seconde flèche a suivi la précédente, tout aussi **précise**, mais Urf était **plus rapide encore** et a disparu à nouveau. Il est réapparu au sommet de la tête du zombie géant.

– **Vous avez fini ?** Je peux continuer comme ça toute la journée.

J'avais vu Alizée **s'énerver** dans le passé, mais rien de tel que lorsqu'elle a baissé son arc. Elle savait qu'il était **inutile** de continuer, elle ne faisait que gâcher des flèches.

– Pourquoi faire ça ? a crié Pierre. **On ne vous a rien fait !**

– Faux !

Des flammes jaillirent de toutes parts autour de lui.

– Tu m'as **humilié !** Tu as **ri de moi !** Et ensuite, tu m'as **remplacé !** Avec un... humain, en plus !

Les flammes gagnèrent **un cran d'intensité**.

– J'allais utiliser ma magie lors de votre combat avec **Nethy**, mais j'ai une bien meilleure idée. C'est la meilleure façon de **terminer cette histoire.** C'est vrai qu'avant je ne savais pas grand-chose. Mais voyez-vous, mon maître m'a enseigné tout un tas de choses...

« Regardez ce que
j'ai appris ! »

Entouré de flammes, Urf a **fermé les yeux** et s'est mis à marmonner, comme Faolan quand il a **invoqué** le slime de glace. Il a ensuite disparu dans **un éclair de lumière orange**. Non, pas vraiment. Il est **comme rentré dans le zombie**, en une fraction de seconde.

Le zombie a eu **un violent sursaut**, toujours assis sur le trône gigantesque. Il a **fermé les yeux** et est devenu totalement **immobile**.

Heureusement, monsieur S-Je-Sais-Tout m'a expliqué ce qu'il venait de faire.

– **C'est un Transfert d'Âme**. Ça permet de prendre **le contrôle** d'un monstre. Ça ne marche pas sur les boss **d'habitude**...

J'ai soupiré.

Donc, Urf avait maintenant **le contrôle d'un monstre méga puissant**, qui pourrait battre un golem de fer à plate couture. Vous savez, je passe une journée **vraiment pourrie**.

Le zombie géant a **ouvert les yeux**, puis s'est levé. Lentement.

Il a baissé les yeux vers nous et **s'est mis à rire**, *hurrh, hurrh, hurrh...* Sa voix était **très grave** et ne ressemblait pas du tout à celle d'Urf, mais j'arrivais quand même à reconnaître le vieillard :

– Vous devez vous demander **comment** je suis capable de faire ce genre de choses. Mes pouvoirs ont été augmentés par **le maître**, le **gentil** maître... si gentil qu'il m'a demandé de **vous épargner**.

Mais à condition que vous vous mettiez **à genoux devant moi**. Je ne vous donnerai pas cette chance. **J'ai échoué** à me débarrasser de vous dans le passé, **mais pas aujourd'hui...**

Je me suis rappelé de Mastoc qui avait vu le vieil Urf à Bourg-Village. Il nous avait **espionnés**. Fait je ne sais quoi au village. Déguisé en *Cacao Withernoix*.

Si S avait bien **raison** à propos de la potion, Urf devait en être responsable. C'est tellement simple de **renommer** une potion, il suffit d'une enclume. Je l'imagine très bien. Urf a changé le nom de la potion, s'est rendu **invisible**, s'est introduit dans la maison de Pierre pendant son sommeil et l'a glissée dans son inventaire. Pierre était tellement concentré sur son entraînement qu'il n'a pas remarqué la différence de couleur...

C'est là que **je me suis énervé.** Je n'aurais pas dû me jeter sur lui, **je sais.** J'aurais dû **attendre** les consignes de S. Pour être honnête, je ne me souviens pas trop de ce qui s'est passé. J'ai **crié** quelque chose, et sans trop savoir comment, je me tenais **devant le zombie géant** contenant un vieillard **complètement fou**.

JOUR 8
SAMEDI - MÀJ XVI

J'ai essayé de frapper ~~Nethersoul~~ **Boss Urf** avec mon épée. La lame a creusé un croissant dans sa chair et j'ai vu **un cœur apparaître**. Voilà les dégâts que je venais de lui faire. C'est-à-dire **quasiment** rien.

PeauPierre II augmentait l'armure d'Urf de **10 cœurs**, en plus de la protection naturelle du zombie... Mes coups étaient aussi efficaces que creuser dans de l'obsidienne avec **une betterave**.

En plus, il avait **Régénération V...** donc le peu de vie que je lui avais enlevée est **revenue immédiatement**. Et puis j'avais un autre problème. **Il a ri** de ma tentative et a envoyé dans ma direction **son poing** de la taille d'un fourneau. Malgré **l'enchantement** sur ma cape, je me suis **envolé de 10 blocs** et j'ai atterri sur le dos, près des autres. **J'ai perdu 3 cœurs**. J'avais oublié de lever mon bouclier. **J'ai paniqué, OK ?** C'est pas tous les jours qu'un **ancien noob** prend le contrôle d'un zombie géant.

Boss Urf s'est remis **à rire**.

– On va voir qui est **le nooblord** à présent.

Il s'est mis à avancer.

– Il ne peut pas jeter de sorts pour le moment, a dit S. Quand on fait un **Transfert d'Âme**, on ne peut utiliser que **les dons de la créature**, et **Nethersoul** n'en a aucun. Il tape juste **très, très** fort.

S s'est tourné vers moi pendant qu'Alizée **m'aidait** à me relever.

– On a besoin de quelqu'un qui pourrait **atténuer les dommages**.

J'ai froncé les sourcils.

– Atténuer…

– Faire **le tank**, a dit Pierre. On n'a pas apporté de **bouclier**. On ne pensait pas en avoir besoin.

– Oh.

J'ai jeté un œil au boss géant. **Je le répète :** il avait des poings comme des fourneaux. Et puis j'ai haussé les épaules.

– D'accord. **Sans problème.**

Alizée m'a tendu **une potion de Résistance** et **une potion de Régénération**. Cette dernière avait une durée de vie **augmentée**. 8 minutes. Elle m'a **serré dans ses bras** et m'a dit :

– **Tu reviens**, et avec une barre de vie entière, **c'est clair ?**

Ensuite, elle m'a ~~embr~~

Non, je ne peux pas parler de ça ici ! **Je suis un guerrier !** Je n'ai pas le temps pour **cette histoire à l'eau de rose !** Bon, **ça va !** Elle m'a **embrassé sur la joue !** C'est pas si bizarre, **si ?** J'ai entendu que dans certains villages, les gens le faisaient **tout le temps**, c'est comme se dire **bonjour** pour eux ! **Ouais !** Tout à fait **normal !** C'était un peu comme **me serrer la main !** Ça doit être une coutume de son ancien village ! **Voilà !**

Bon, je ne sais pas trop pourquoi, mais **je me sentais plus courageux**. Était-elle **une sorcière** dont les bisous étaient capables de filer des buffs ? En tout cas, **ça a marché**. Je suis reparti. S et Pierre **me suivaient** de près.

– On va se tenir **de chaque côté**, a dit S. S'il se tourne vers l'un de nous, il faut que tu **te places devant** et que **tu bloques ses attaques**.

Boss Urf s'approchait de nous, j'ai relevé mon bouclier. *Intercepter. Atténuer.* Dans la bouche de S, **ça sonnait bien**. Pourtant, ce n'était **pas très séduisant** de se faire **écrabouiller** par un zombie qui devait lutter avec **des dragons de l'Ender** pour faire passer le temps. Bon, au moins, je n'ai été éjecté que sur **un demi-bloc**.

JOUR 8
SAMEDI - MÀJ XVII

Mon bouclier **absorbait** coup après coup, pendant que Pierre, S et Alizée infligeaient **des dégâts considérables**. Les haches de Pierre étaient **faites d'acier rouge**. Même si c'est plus lent à utiliser, les haches font **bien plus mal** que des épées. Qu'il en ait deux paraissait presque **injuste**. Alizée alternait entre les flèches normales et celles qui affaiblissaient, ne revenant aux flèches enchantées que lorsque **l'effet du sort** s'apprêtait à **disparaître**. Et elle jetait des **potions de Soin** les rares fois où je me prenais des coups.

S utilisait une attaque **« Overblade »**. C'était **trop cool**. Il s'est jeté dans les airs, tenant l'épée **au-dessus de sa tête**, et est retombé sur Urf avec **une telle force** que ce dernier s'est **plié de douleur**.

Il avait **l'air ridicule**.
Urf, j'entends.

25 points de dégâts, ou 12,5 cœurs, **en un seul coup !** C'était **hallucinant**. Pour vous donner une idée, ma vie en est à **22 points**, ou **11 cœurs**. Mais bon, la vie d'Urf ne baissait que **très**

lentement. On en était à **10 %**, peut-être. Je n'étais pas sûr que ce soit la vie du monstre, ou celle d'Urf, ou **un mélange des deux**. En tout cas, il était **presque indestructible**.

Et même si S **tapait très fort**, la régénération d'Urf **compensait** nos attaques. Dès qu'on lui retirait un peu de vie, elle **remontait** quasi **immédiatement**. À un moment, Urf s'est **carrément arrêté** et **s'est mis à rire**.

– Vous appelez ça **des attaques ?** Vous n'arriverez même pas à m'enlever la moitié de mes points de vie ! **C'est trop marrant !** Je...

Le zombie/sorcier/noob a **crié de douleur** après une nouvelle attaque **Overblade** de la part de S. Ce dernier a **enchaîné** avec une autre avant de toucher le sol.

Il avait grignoté **30 % de la vie d'Urf**, et le son provenant de ce dernier **faisait pitié à entendre**. Évidemment, je pensais que S allait **enchaîner**, pourquoi pas ? Mais il poursuivait avec **des attaques classiques** comme celles qu'on utilisait en cours. **J'ai halluciné.**

– Qu'est-ce que tu fiches ?! **Utilise ton attaque spéciale** !

– Peux pas, il a dit. Il faut **recharger**.

– **Recharger ?**

– Ce pouvoir est **limité**, a dit Pierre. Il ne peut l'utiliser que **trois fois par jour.**

S a souri.

– Ce serait **de la triche** si je pouvais **spammer** une attaque trop balèze.

– ...

Et **c'est pas tout**. Mon bouclier s'est **brisé** lors de l'attaque suivante du zombie géant. De la main gauche, j'ai **dégainé mon épée** et je me suis joint à Pierre et S, qui se battaient **frénétiquement**.

– **Continuez !** a dit S. Une fois que son pouvoir de Régénération arrivera à **sa fin**, il **ne guérira plus** de nos attaques, c'en sera fini de lui ! **On y est presque !** 55 secondes !

Urf n'a rien répondu.

*Mmmmh. Alors ? Il ne joue plus ? On dirait qu'il commence à être **inquiet**.*

J'étais maintenant obligé de **bloquer** ses attaques **avec mon épée**. Je n'étais pas projeté trop loin, mais il me faisait quand même **vraiment** mal. Alizée jetait **des potions de Soin** pour faire remonter ma barre de vie, et les leurs. On était tous à peu près à **50 %**. Parfois, je réagissais **trop lentement**. On allait jamais tenir **jusqu'à la fin** de son pouvoir de Régénération.

53, 52, 51...

Chaque seconde paraissait durer **tellement** longtemps. Et puis, d'un coup, la pluie de flèches s'est arrêtée. **Alizée était à sec.**

Elle a dégainé son épée et nous a rejoints dans **le cœur du combat**.

Je me suis rappelé de la flèche avec **une pointe d'obsidienne**, celle qui portait **un visage flippant**. Je ne savais pas du tout **à quoi elle pouvait servir.** D'habitude, on peut voir **les propriétés** d'un objet, mais c'était **impossible** pour cette flèche. On pouvait se douter qu'elle avait des propriétés **peu sympathiques**. Et frapper Urf avec quelque chose de peu sympathique me paraissait pas mal, parce qu'il était vraiment **en train de péter un câble.**

J'ai paré un autre poing géant avec mon épée, puis **j'ai tendu** le projectile à Alizée.

– Je ne sais pas ce qu'elle fait, **mais...**

Sa tête en disait long, cette flèche devait faire **très mal**. *(Et ensuite, sa tête m'a indiqué que j'étais un noob d'élite et que j'aurais dû lui parler de cette flèche avant.)*

– **Hurggggaaaaaaaa** !!

Pierre a volé devant nous. Il avait été distrait par notre discussion, et Urf en a profité pour le prendre au dépourvu.

– **Uwwwaaaaaaaaaaaaaaaaaaa** !!

Et ça, c'était S.

JOUR 8
SAMEDI - MÀJ XVIII

On a pas discuté **150 ans** de l'usage de la flèche. Alizée l'a saisie et **l'a lancée.** Celle-ci a touché Urf pile **au milieu de la poitrine**. La flèche en elle-même n'a pas fait trop de dégâts *(seulement 3)*, **mais alors** son **debuff**... ça faisait **tellement plaisir** à voir.

Le crâne signifie qu'Urf était **frappé d'un Wither**, autrement dit de **dégâts sur la durée. Wither V** suffirait à **contrebalancer** sa régénération, et dans 30 secondes, **lorsque celle-ci prendrait fin...**

– Où est-ce que vous avez **trouvé ce truc** ?! a hurlé Urf. Je ne vais **pas pouvoir...**

Il s'est élancé vers nous **frénétiquement** comme **un gros bébé** en train de faire un caprice.

– Vous **tomberez** avec moi !

– **Restez groupés !** a crié Alizée. Sinon **l'effet des potions jetables** ne vous atteindra pas !

On s'est **resserrés** et elle a jeté une potion au sol qui nous a tous plus ou moins guéris.

– **Tu as tout gâché !**

Urf **s'est focalisé** sur Pierre, qui ne pouvait pas faire grand-chose, à part essayer de **se défendre** en levant ses haches.

– Tu devais **te charger de lui** ! Tu étais censé **nous rejoindre** ! **Tu as bu la potion,** je l'ai vu !

Le bras gauche d'Urf, de la taille d'un tronc d'arbre, s'est élevé dans les airs avant de **s'abattre** sur Pierre.

– Où…

Bras droit cette fois.

– Est-ce que…

Bras gauche à nouveau.

– Ça a…

Les deux poings se sont abattus, **des étincelles** ont jailli des haches de Pierre pendant qu'Urf **s'étouffait** presque de rage.

– **Planté ?!**

Il ne restait **quasiment plus de cœurs** dans la barre de Pierre.

– **Recule !** j'ai crié.

Je l'ai poussé quand j'ai vu qu'il **ne bougeait pas** et j'ai fixé le sorcier droit dans **ses yeux rouges.**

– **C'était toi !** C'est toi qui l'as **rendu fou** !

– **Oui !** Et je vais faire **bien pire !** Votre village va s'effondrer ! Si…

J'ai entendu un cri. Alizée. Elle se tenait **derrière Urf** et **se déchaînait sur lui**. Son épée n'était **plus qu'un flash** de bleu et de vert. Dans une rage noire, Urf s'est tourné vers elle. Elle n'essayait même pas de parer ses coups, elle essayait juste de **taper aussi fort que lui.** Mais c'était **mission impossible**. Même sans régénération, il était quand même à **35 %**, avec **plein de points d'armure** et une vitesse d'attaque **élevée**. Maintenant que j'y réfléchis, on aurait mieux fait de **s'éloigner** de lui et de **laisser le Wither agir**. Tout est tellement clair, **a posteriori…**

– **Alizée ! Non !**

J'ai couru vers Urf, **vers elle**, chaque seconde me paraissait durer **une éternité**, chaque milliseconde remplie d'un battement de cœur ou du son des armes, le mouvement des barres de vie, un cri ou le bruit horrible d'une lame pénétrant **une peau dure** et **pourrie**.

Plus que **cinq** blocs.

Cinq blocs, et je pouvais voir que sa barre de vie était **encore plus petite** que celle de Pierre. **Trois blocs.** Elle a **levé les yeux**. Tellement lentement. Je crois que le temps s'est arrêté. Elle regardait en l'air. *Qu'est-ce qu'elle peut bien voir ?* ***Allez, avance. Rattrape-la.*** Ça a pris une éternité jusqu'à ce que je voie **une ombre** ressemblant à une colonne de pierre s'avancer vers elle.

Un poing
s'est abattu.

JOUR 8
SAMEDI - MÀJ XIX

La fumée **s'est dissipée**, et il ne restait que **des objets en vrac** sur le sol, dont **deux épées** et une paire de bottes en cuir. Ma tête était **vide**. **Mon cœur aussi**. J'ai fait un pas en avant, **silencieux**. Tous les quatre, on fixait **la pile** par terre. **Même Urf**. Son visage exprimait presque **du regret**, comme si un zombie était **capable** d'une émotion pareille. Mais un **rire grondait à l'intérieur** de lui, qu'il a laissé échapper, d'abord **doucement**, puis de **plus en plus fort**. Quant à la suite, je ne me souviens que de **trois cris de guerre**, suivis de coups d'épée à ma droite, de coups de hache à ma gauche, frappant Urf encore et encore. Je ne me suis rendu compte qu'après coup que **j'utilisais les épées d'Alizée**. Je ne sais pas quand je les ai ramassées.

Alizée avait grignoté sa vie jusqu'à 25 %, et nous **jusqu'à 7 %**, mais ce n'était toujours **pas assez**. Il s'est battu de toutes ses forces, et on **galérait beaucoup plus** sans elle et sans ses potions. Sur la fin, il nous tenait **coincés** contre le mur, chacun de nous à un cœur de la f...

*Pourquoi ne l'a-t-elle **pas évité** ?*

*Je l'ai **laissée tomber.** J'aurais dû **courir** plus vite.*

***Ça doit être un piège !** C'est pas possible autrement.*

*Elle ne peut pas **être partie pour de bon...***

– Il est **trop** fort, a murmuré S. Pourquoi ? Pourquoi est-ce qu'un **PNJ** ferait ça ?!

– **Minus**, a dit Pierre. Je suis **désolé** de t'avoir si mal traité. Je ne sais pas ce qui m'est passé par la tête.

– Arrête ! On a besoin d'un plan, là ! Concentrez-vous !

– On peut lui foncer dessus, a chuchoté Pierre. On le cerne… Il va sûrement nous écraser, mais bon, faisons-le pour elle.

– Pour Alizée ! j'ai dit.

Je n'étais toujours pas convaincu qu'elle n'était vraiment plus là. Il devait y avoir une explication rationnelle. Elle ne pouvait pas…

– C'est dommage ce qui lui est arrivé ! a crié Urf.

Il se tenait à distance et nous attendait. Le Wither avait pris fin.

– Vous devriez être soulagés de la rejoindre bientôt, il a poursuivi.

Un sourire horrible s'est dessiné sur son visage tout aussi horrible.

— C'est bien la fin... **pour toi !**

On a **sursauté** en entendant cette voix. **C'était la sienne.** J'ai vu une silhouette apparaître derrière Urf, qui ressemblait à **la sienne**. **C'était bien ça.** Comme si elle aurait pu **être battue** par un noob de la sorte.

Pieds nus et **une épée à la main**, elle était déjà dans les airs avant qu'il n'ait le temps de se retourner. Elle a utilisé **« Quietus »**, qui ne marche que **sur des cibles qui vous tournent le dos**. Les dégâts sont **proportionnels** aux blessures déjà existantes. Vu à quel point il était **amoché**, autant dire que **ça l'a achevé en un coup**.

Sa barre de vie n'était plus qu'un **rectangle vide**. Il a **titubé** en avant, tout en regardant Alizée qui atterrissait sans soucis. **Tremblant** de rage, il a levé la tête vers le ciel et **a crié** :

« immmmmmmmmmmmmmmmm... p... p...
Possssssssible !!... »

Son cri **s'est éteint**, son corps entier a **clignoté**, émettant de la lumière rouge qui éclairait toute la pièce. Chaque **flash** envoyait comme un son parasite. Et enfin **Urf le monstre** s'est désintégré en une pelletée de **cubes écarlates**, qui ont disparu quasiment instantanément, laissant derrière eux **une pile d'objets** – dont **un petit coffre gris**.

Une voix de femme s'est élevée, aussi **froide** et **vide d'émotion** qu'un golem de fer :

– *Le donjon* ***Tombeau du Roi Oublié*** *est* ***terminé****. Tous les pièges et générateurs de monstres ont été* ***désactivés****. Les monstres restants ont été* ***détruits****. Ce donjon réinitialisera dans une semaine...*

Elle a dit d'autres trucs dont je ne me souviens pas.

– C'est **le speaker**, a dit S. Ça fait partie d'un **mod**. Mais passons, ce serait trop long à...

Je ne me souviens pas de la suite de ce qu'il a dit non plus. Je ne lui prêtais **pas attention**. À la pile de trésors non plus. **Je n'avais d'yeux** que pour **le trésor** en face de moi.

Elle a délaissé son **immense épée**, a couru vers moi et m'a fait **le plus gros câlin du monde**. Puis **Pierre** m'a fait **un câlin**. Ensuite S a fait un câlin à Pierre. Alizée et Pierre **ont failli** se faire un câlin, mais c'était **un peu bizarre** étant donné qu'il avait été un **méchant pendant un bail**. On a fini par **éclater de rire** et par tous se faire un câlin. Je me rends compte que j'ai beaucoup utilisé le mot **« câlin »**, mais que voulez-vous, on était **contents d'être en vie !**

– Tu vas **me faire le plaisir** de prendre une potion de Soin, j'ai dit à Alizée. Ta vie est **tellement basse** que j'ai même peur de respirer !

JOUR 8
SAMEDI - MÀJ XX

Vous voulez sûrement savoir **comment** Alizée **a survécu**. Et vous voulez aussi sûrement savoir **pourquoi** elle était **pieds nus** et avec **une épée gigantesque**. Eh bien, **ne vous inquiétez pas**. J'ai posé la question. Juste après qu'elle a jeté des potions de Soin sur tout le monde *(on a failli se noyer)*.

Elle nous a expliqué comment elle avait **évité** l'attaque d'Urf au dernier moment et avait ensuite utilisé un truc qui s'appelle **« Fumigène »**. Ça crée **un épais nuage de fumée** autour de soi, ce qui permet de **disparaître** quelques instants. Pour rendre l'effet plus convaincant, elle a **jeté** ses **épées**, ses **émeraudes** et a retiré ses **bottes** et ses **accessoires**.

– **Franchement**, a dit S, ça m'étonne que je n'aie rien remarqué. Il y avait beaucoup trop de fumée, et puis on aurait dû voir **des sphères d'expérience**...

Il a hoché la tête d'un air **approbateur** :

– Franchement, c'est **bien joué**. On n'utilise pas **Fumigène** comme ça d'habitude, mais **ça a marché**.

– *Encore* **un talent**, j'ai dit. Alors, tu m'as bien caché des trucs ! **Pourquoi tant de secrets ?**

– Ce n'est **pas fini**, elle a répondu. Tu **en apprendras plus** quand on rentrera.

– Et **cette épée**, d'où elle sort ?

– Mon père **me l'a donnée** avant que je parte. Il m'a dit que je devrais toujours l'avoir sur moi, au cas où.

Elle avait toujours **l'air de cacher** quelque chose. J'ai plissé les yeux. Quelque chose **clochait**. Elle gardait **un secret**. J'en étais quasiment sûr. Qu'est-ce que ça pouvait bien être ?!

Heureusement pour elle, Pierre – qui continuait de regarder partout avec **l'air inquiet** – a changé de sujet :

– **Hé**, les gars, **où est passé Urf ?**

– Bonne question, a répondu S. Le monstre étant **vaincu**, Urf aurait dû **réapparaître** pas loin, mais je ne le vois pas. Ce sont **ses objets**, à terre. **En plus du coffre**.

– On ne devrait pas prendre de **risques**, a dit Pierre. **Prenons le butin**, et **partons**.

Tout le monde s'est tourné vers **la pile**. Normalement, le boss n'aurait dû laisser derrière lui **que le coffre**. Tous **les autres objets** appartenaient à Urf, d'après S. **Des livres d'histoire**. **Des livres de magie** et aussi **des livres sur les monstres et les donjons**.

Comme les autres bouquins qu'on a feuilletés, ils étaient écrits dans **une langue** qu'on ne comprenait pas. *(Comprendre d'autres langues est aussi un talent qui s'apprend. Il en existe plusieurs d'ailleurs : langage courant, langage ancien, enderscript, etc.)*

On est tombés sur **des stacks entiers** de pages blanches, des fioles de potions **de bas niveau** et des pièces détachées de monstres, comme **des yeux d'araignée** et **des ailes de chauves-souris**.

Et les objets qu'il portait sur lui étaient là aussi. Ni son chapeau, ni ses lunettes, ni ses bottes ne portaient **d'enchantements**. Sa robe en portait **deux**. Pardon, **sa tunique**.

– J'aurais dû **m'en douter**, a dit S. Tous les Nethermanciens débutent avec cette tenue. Elle permet de **contrôler le feu** et **la magie** dans laquelle le Nethermancien **se spécialise**.

Donc, Urf était **une sorte de sorcier** appelé *Nethermancien*. Capable de contrôler **du feu enchanté**. D'infliger de terribles sorts. Capable aussi d'invoquer **des sous-fifres morts-vivants** et de s'en servir comme **esclaves**.

Urf avait décidé de ne contrôler que **Nethersoul**, et ça avait été **une grave erreur**. S'il s'était retenu et s'était **contenté** d'invoquer une armée de squelettes, **on aurait perdu** pour sûr. Sa colère a pris le dessus.

Bref, je ne porterai **jamais** cette tenue. Surtout si on pense qu'Urf **dormait** sûrement dedans.

– Il était peut-être responsable de tous **ces animaux-zombies**, a dit Pierre.

– Tu les as vus, **toi aussi** ?

– **Partout**. Surtout dans la forêt vers le sud. J'en fais encore **des cauchemars**.

– Seul **Nether Rot** en serait capable, a dit S. C'est un sort qui engendre **un debuff** ressemblant au **Wither**. Mais si tu perds tous tes points de vie, tu ne meurs pas, **tu deviens un zombie**. Il s'agit d'une **maladie** qui peut s'étendre à toute forme de vie, donc ça marche aussi sur les animaux.

– Ça devait être lui, j'ai soupiré. **Un mystère de résolu.**

On en est revenus aux objets.

Urf se baladait avec **un truc très** étrange.

FEY CUDGEL
ARME (BÂTON)
VITESSE D'ATTAQUE 1,5
DÉGÂTS MOYENS 2
ASSOMMAGE II

Un bâton.

C'est un bâton enchanté.

J'aimerais bien être en train **de blaguer**, mais non, je suis aussi sérieux qu'Urf lorsqu'il rédigeait son manuel. Mais ce bâton peut être **utile**. Selon Alizée, **Assommage II** a 20 % de chance de causer une **paralysie**. Selon S, la durée de la paralysie est de... **une seconde**. Alizée semblait **très intéressée** par cette arme. **Pourquoi ?** Franchement, je ne sais pas à quoi vont nous servir **un bâton** qui ne tape pas fort et **la médiocre chance** de paralyser un ennemi pendant une seconde. Enfin, ça me rappelle l'histoire d'Urf qui aurait vaincu un seul monstre en **lui jetant** un bâton à la tête. En plus, si je ne m'abuse, **Fey** a un rapport avec **les fées**, ce qui veut dire que je vais vraiment **rester loin** de cette chose. On dirait qu'il ne restait plus qu'un truc dans l'inventaire d'Urf, et il s'agissait de...

Mon cerveau s'est transformé **en boule de slime**.

Non.

NONON.

NONONONON.

NNNNNNNON.

NNNNNNNNANANAS ?!

Qu'est-ce qu'elle fait là ?! ***Pourquoi ?!*** *Qu'est-ce que ça veut dire ?! Qu'est-ce que ça veut* ***dirrrrrrrrrrre ?!***

Réfléchis. ***Réfléchis****. Logique.* ***Logique****. Ne paniquons pas. Arrête de respirer aussi fort !* ***Explications !*** *Trouve !* ***Explique !*** *Pourquoi est-ce que tout le monde me regarde ?! Prends l'air* ***innocent****. Décontracté ! Oh, je ne sais même pas siffler ! C'est pas ma faute !* ***Pas ! Ma ! Fauuuuute !!!!!***

– **C'est bizarre**, a dit Pierre. **Kolb** est toujours à **Bourg-Village**, pas vrai ?

– Oui, a dit Alizée.

Ensuite, elle m'a fait **le plus sombre des regards**. Le genre de regard que font les parents de Mastoc quand il crame les cookies.

Donc, ça veut dire que... Si on rationalise un peu... Urf a volé ***Prairie****... Il a pris* ***la selle de Kolb*** *et... Ben, peut-être que Kolb avait deux selles enchantées ?* ***C'est possible, non*** *?????*

– **Je ne sais pas pourquoi** Urf avait ça, j'ai fini par dire.

– Vous connaissez Kolb ? a demandé S. **Le monde est petit.** On est potes depuis la sortie du serveur.

Il a ramassé la selle.

– Je devrais peut-être la **lui rendre**. Je lui demanderai ce que...

– Non, **c'est bon !** j'ai dit en lui fauchant la selle des mains. **Je m'en charge.**

Heureusement, j'ai **rapidement** oublié toute cette histoire quand S a ouvert **le petit coffre gris**. Ça, c'était du trésor. **Le trésor d'un boss.** Selon S, ce qu'il contient est généré **aléatoirement**. Après l'avoir ouvert, il a dit : **« Prions les dieux du RNG. »**

J'avais déjà entendu des **Légionnaires** dire cette phrase précisément. **RNG** a un rapport avec des **événements aléatoires**, donc prier les dieux du RNG veut dire qu'il espère **avoir de la chance ?** C'est ça ? Bah, disons juste que ses prières n'ont **pas été entendues**. **Regardez-moi ça :**

Une vache en or. De la taille d'un jouet. Je ne pourrais pas l'inventer, même si je le voulais. Apparemment, elle a **une aura** qui donne de la **prospérité**. Niveau III, ça veut dire qu'on a **3 % de chance** de fabriquer **le double** de ce qu'on voulait.

Alors, j'imagine bien que **ça peut être utile**, mais ça reste **bizarre**.

Les dieux doivent se bidonner à l'heure qu'il est, mais moi pas.

Allez, **au suivant**.

Les dieux **se rient de nous**.

Alors voilà : il y a **plusieurs sortes** d'enchantements pour les lits, qui portent tous bien leurs noms, comme **Bonnenuit**, **Dorsbien**, **Beauxrêves**, etc. L'enchantement **Bonnenuit** rajoute des points de vie à chaque niveau, qui apparaissent sous la forme de **cœurs dorés** au-dessus de la barre de vie. Le **buff** dure toute la journée et ne disparaît que si on prend **trop de dégâts**. C'est pas mal, mais je ne dormirai quand même pas dedans, j'ai encore **un peu de dignité** !

Au suivant !

POCHETTE DE L'ENDER

ACCESSOIRE

POCHE III

Ooooh, elle **me plaît**. Qu'est-ce que c'est ? Oh, rien qu'un **coffre de l'Ender miniature** qu'on peut emporter **partout**. L'enchantement **Poche** crée comme **un espace supplémentaire**. Tout objet enchanté avec ça peut servir à contenir des choses. La taille de l'inventaire est **augmentée**, mais aussi **la vitesse** avec laquelle on peut venir chercher des objets. **Poche III** veut dire trois cases, dans lesquelles je pourrai mettre **des potions**. C'est tellement **Batman**.

Je n'ai pas encore de **ceinture**, mais j'ai pris la poche quand même. Dès qu'Alizée m'avait expliqué à quoi elle servait...

CASQUE DU DRAGON

ARMURE

RÉSILIENCE VI

Mmmh. Du matos pour faire **le tank**, qui réduit les coups critiques, qui dirait non ?

Déjà, il a l'air **plutôt cool**, mais je ne sais pas. C'est **un crâne de dragon**. Plutôt quelque chose qu'**Urg le Barbare** porterait. Ou un Nethermancien. C'est pas trop **mon style**.

En plus, je ne sais pas si je veux faire **le tank** toute ma vie. J'ai essayé, j'ai bien aimé **protéger** mes potes, mais bon... **ça fait mal**. **Super mal**. S'il vous prenait l'envie de devenir aventurier, je vous déconseille la carrière de tank. Inventez **un mensonge** à propos d'un zombie en armure de fer qui se serait introduit dans votre village quand vous étiez petit et vous aurait **traumatisé** à vie. Essuyez vos larmes de **crocodile** en disant que vous vous mettez à pleurer rien qu'en voyant **un bouclier**.

Suivant !

– **La voilà**, a dit S en tendant le cristal vers nous.

Alizée a fait passer ses doigts sur les bords de la pierre.

– J'ai entendu parler **d'un temple du même nom**. C'est de là que vient le cristal ?

– **Oui**, a dit S. Il est **nécessaire** pour **allumer le phare** au-dessus du temple.

– **Et ensuite ?** j'ai demandé.

– La nuit, sa lumière peut être vue de **n'importe quel point** du continent, même des îles. Il apparaît comme **une étoile bleutée**.

– C'est **un système d'alerte** très ancien, a dit Alizée. Pour prévenir ceux qui vivent loin d'une guerre **imminente**. Chaque village contient **un bibliothécaire** qui saura ce que cette lumière veut dire.

– Tu connais bien **les légendes**, a dit S avec un regard **inquisiteur**.

– **Oui**, a répondu Alizée. Et je sais que terminer votre quête ne sera **pas facile**. Celui Sans Yeux a sûrement envoyé **une légion de monstres** vers ce temple à l'heure qu'il est.

S a posé une main sur son cœur.

– Je crois que je suis **amoureux**.

Quand Alizée lui a lancé **un regard noir** *(et moi aussi)*, il a levé les mains.

– Je plaisante, **je plaisante !** Mais… **euh…** vous êtes *un couple ?*

Alizée a cligné **lentement** des yeux.

– Un couple ?

Je ne savais **pas du tout** ce qu'il voulait dire non plus. On était bien **un couple de personnes**, mais est-ce qu'il voulait dire quelque chose d'autre ?!

– **Laissez tomber**, il a dit. **Euh…** bref, tu as sûrement raison. Je suis sûr que les monstres sont **aux aguets** devant le temple. **Herobrine** va chercher à éviter que quelqu'un **n'allume ce phare**. Heureusement, j'ai **mon apprenti** avec moi. Je peux compter sur lui.

Il a tapé **Pierre** sur le dos.

– On retourne à **la Travée du Hibou ?** J'y ai croisé des gars qui ont **une dette** envers moi. Je suis sûr qu'ils voudront bien **nous accompagner**. En voyant ce dont **Urf** est capable…

– C'était vraiment **un noob** quand on l'a connu, a dit Pierre. Je ne sais pas comment il a fait pour devenir **aussi puissant**.

S a souri.

– **Sans Yeux** a sûrement invoqué des monstres tout en les affaiblissant, histoire qu'Urf **monte très vite en niveaux**. C'était **une parade** assez mesquine qu'employaient les **Sorciers Boss**, même si c'est contre **les règles**. Enfin, *c'était* contre les règles. Elles n'importent plus beaucoup...

– Les Sorciers Boss, j'ai dit. Je crois que j'en ai rencontré. C'est qui ?

– **Un clan. Un des pires**. Ils sont l'opposé de la Légion Perdue, si vous voulez. Ils s'en fichaient royalement de l'étiquette avant **le bug du serveur** et s'en fichent encore plus maintenant.

– Mais ceux qui m'ont parlé n'avaient **pas l'air si méchants** que ça.

S a haussé les épaules.

– Ils ont **l'air gentils** comme ça, dans les villages, où ils sont en **sécurité**. Mais ailleurs, dans **un donjon** comme celui-ci par exemple, ils vous lâcheraient sans aucun problème. On ne peut pas **leur faire confiance**.

– On a **essayé** il y a quelques jours, a dit Pierre **d'un air grave**. Ça ne s'est **pas très bien passé**.

S a émis **un son de frustration** et s'est gratté le visage, mais n'a rien ajouté.

– Bref, a dit Pierre en me regardant comme s'il s'était **retenu** de poser la question la plus importante de tous les temps. **Euh...** comment va Bourg-Village ?

– Il **survit**. À peine.

– Kolb a l'air de penser qu'**un établi perfectionné** permettra de changer la donne.

– **Ça va aider**, c'est sûr, a dit S. Avec ça, vous pourrez **construire** des **armes** et des **armures en obsidienne**. Ça fonctionne un peu comme le matos en fer, mais une fois que vous aurez **un générateur d'obsidienne**, vous en aurez des **quantités infinies**.

Un **générateur** d'obsidienne ?
J'ai **un peu dormi** en cours de redstone,
mais je ne me souviens pas qu'on en ait parlé.

– Bon, nous, on est venus **pour le cristal**. **Prenez le reste**. Vendez ce dont vous ne voulez pas. **Ou vendez tout**. C'est **pas top**, ce qu'on a reçu.

– **Merci**, a dit Alizée.

– Et **la mousse lumineuse** ? j'ai demandé.

– Oh, pardon, a dit S. Elle est dans **un des coffres** avec des objets de **moindre importance**.

Huit coffres de l'Ender se trouvaient aussi dans la pièce. Vous devez vous demander ce qu'ils contenaient.

J'en ai ouvert 5, ils étaient **tous vides**. En claquant le couvercle du cinquième, j'ai vu Alizée par-dessus mon épaule, tirer la langue en tenant à la main **un truc verdâtre** et **humide**.

Mousse **légendaire**, hein ?

Comment est-ce qu'on peut se servir de mousse **pour faire une armure ?** Je n'en ai aucune idée. Et franchement **je m'en fiche**. Je ne voyais même plus la mousse, mais **une pile de 750 émeraudes**. Après l'avoir **fourrée** dans mon inventaire, j'ai entendu **un faible craquement** dans mon dos. Les blocs de glace invoqués par Urf venaient de **disparaître**.

(Je me doute que ce n'est pas un sort qu'utilisent les Nethermanciens d'habitude. Comment faire tenir de la glace dans le Nether ?!)

S a **rangé son épée** dans le fourreau sur son dos. *Un peu à cran, le petit.*

– **Bon**, il a dit. Si on retourne à la Travée du Hibou, autant le faire **tous ensemble**, pas vrai ?

– **Oui**, j'ai dit, si **Shybiss** tient le rythme. C'est **son cheval**. Je ne sais pas trop ce qui est arrivé à... **au mien**.

Vite ! Change de sujet ! Je me suis tourné vers Pierre.

– **Alors, euh...** après avoir allumé ce phare, **tu reviens quand ?** Je suis sûr que le maire **te pardonnera**, on lui expliquera.

– **Je sais pas.** J'ai **promis** à S de voyager avec lui. Il bosse sur **un bateau** en ce moment. Il nous faut encore **quelques matériaux**. On en a trouvé quelques-uns dans une grotte. **Vous n'en auriez pas cru vos...**

– Comme il a dit, a **interrompu** S, il nous faut **encore travailler** pas mal dessus. Mais **un jour peut-être**.

(C'était bizarre, la façon dont il a coupé Pierre. Pourquoi tant de secrets ?!)

L'ancienne **brute** m'a regardé en haussant les épaules.

– Je **passerai** vous voir. D'ici là, Minus, dis-leur bien **que... je suis désolé**.

Il a jeté **un dernier regard** autour de lui avant de dire :

– On peut y aller maintenant ?

Et sur ce, nous sommes partis. Comme **la voix** l'avait annoncé, les couloirs étaient **vides**. Les plaques de pression n'ont fait qu'un petit clic à notre passage. Évidemment, en passant devant les portes du caveau, je n'ai pu m'empêcher de me demander **ce qu'il pouvait bien contenir...**

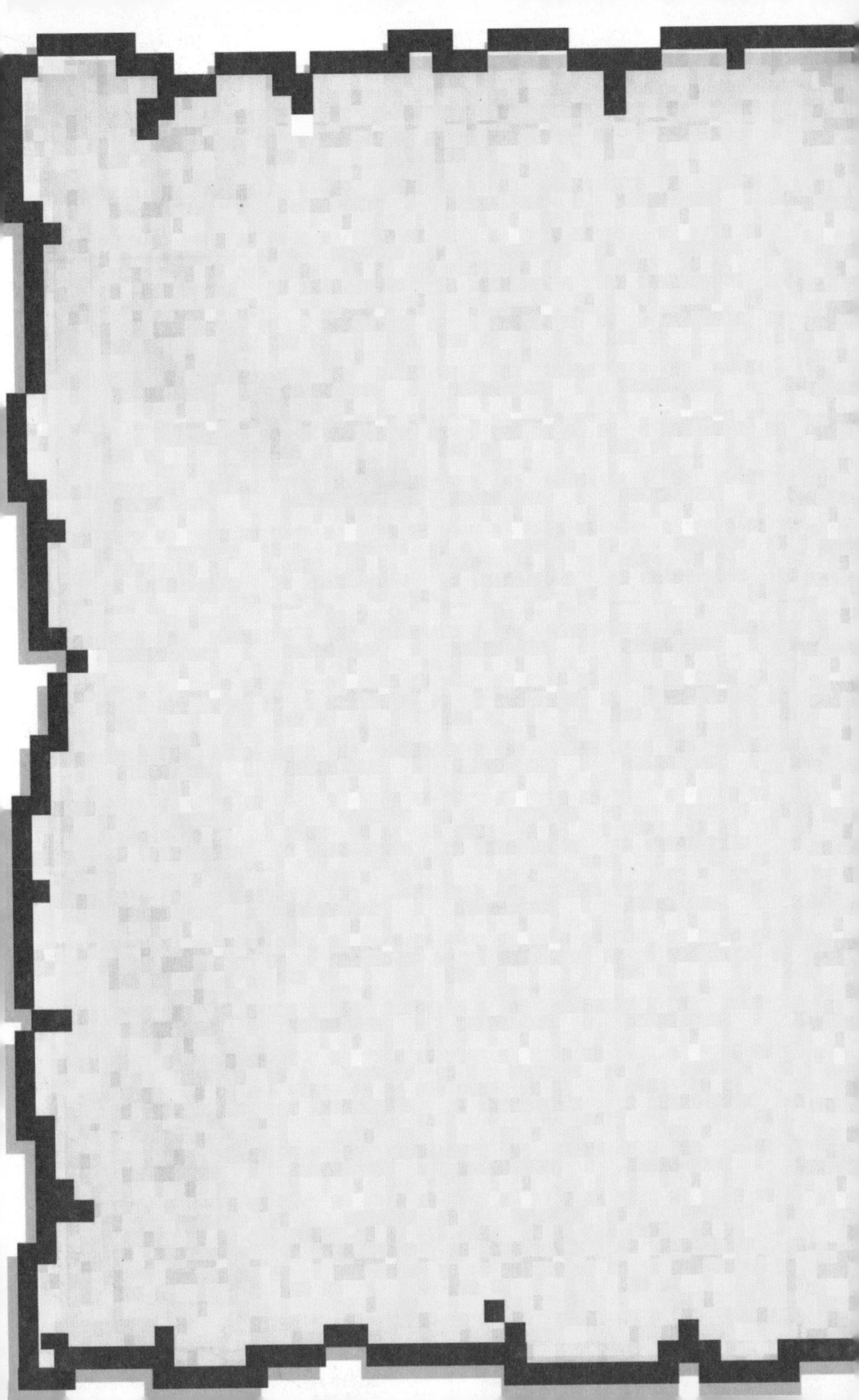

Cube Kid est le nom de plume d'Erik Gunnar Taylor, un jeune auteur de 33 ans qui a toujours vécu en Alaska, États-Unis. Grand amateur de jeux vidéo – et particulièrement de Minecraft –, il se découvre très tôt une passion pour l'écriture de fanfictions.

Son premier livre, *Wimpy Villager*, est sorti en février 2015 sous la forme d'un e-book et a immédiatement rencontré un important succès auprès de la communauté de joueurs Minecraft.
Découvert par les Éditions 404, le roman est publié pour la première fois en France en février 2016 dans sa version actuelle, illustrée par Saboten. Et il fait désormais le tour du monde !

Lorsqu'il n'écrit pas, Cube Kid voyage, bricole sa voiture, dévore des fanfictions... et joue à son jeu vidéo préféré !

DÉJÀ PARU :

Journal d'un Noob – tome I

Journal d'un Noob – tome II

Journal d'un Noob – tome III

Journal d'un Noob – tome IV

À PARAÎTRE

Découvrez les aventures de Billy,
le chaton qui s'est perdu dans le Nether.

Un chaton dans le Nether : septembre 2017

La nouvelle série de Cube Kid !

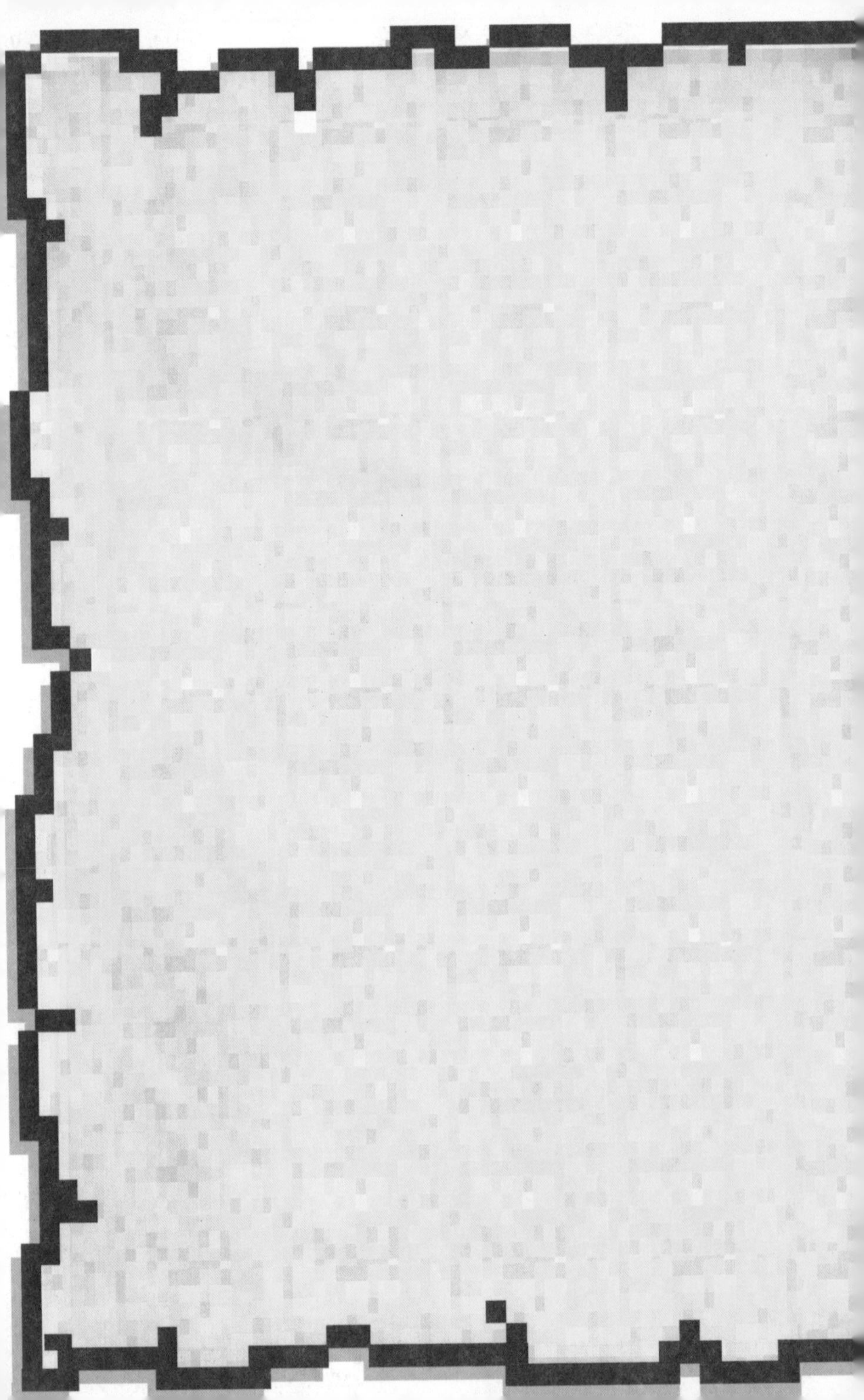

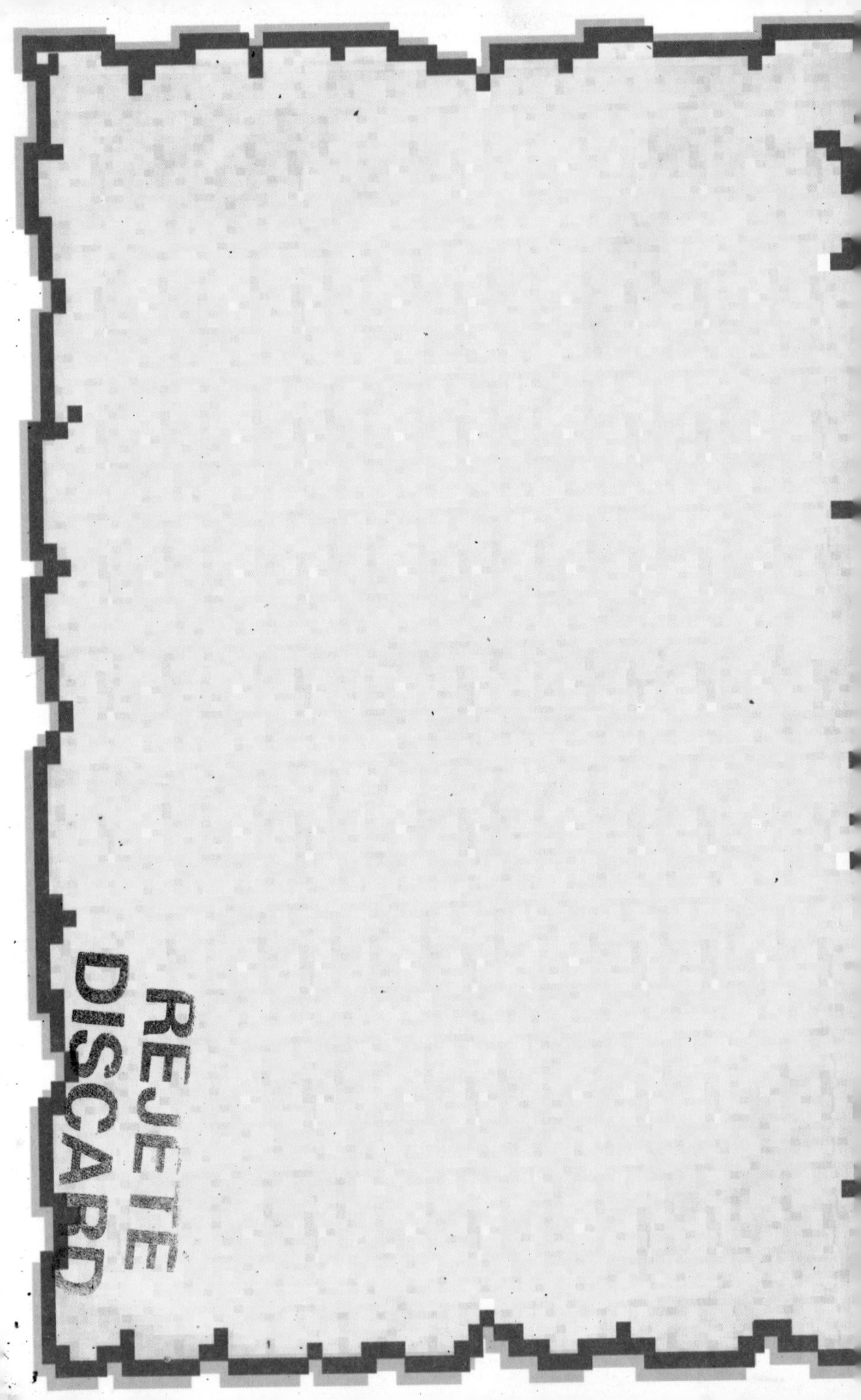